JN208910

倫理
コンサルテーション
ハンドブック

第2版

●編著
堂囿 俊彦
竹下　啓

●著者
神谷 恵子
長尾 式子
三浦 靖彦

医歯薬出版株式会社

This book is originally published in Japanese
under the title of :

RINRI-KONSARUTESHON HANDOBUKKU
(Handbook of Ethics Consultation)

Supervising Editors:
Toshihiko DOZONO, Ph.D.
Professor
Graduate School of Humanities and Social Sciences
Shizuoka University
Kei TAKESHITA, M.D., Ph.D.
Professor
Department of Medical Ethics
Tokai University School of Medicine

ISHIYAKU PUBLISHERS, INC.
7-10, Honkomagome 1 chome, Bunkyo-ku,
Tokyo 113-8612, Japan

はじめに

医療・ケアの現場では，倫理的問題が日常的に生じています．そこで働く人々は，治療の不開始・中止のように社会において広く取り上げられたものだけではなく，重症疾患の告知や身体拘束など，倫理をめぐるさまざまな問題に直面しています．こうした問題の解決に臨床倫理の知識が必要であるという認識は，すでに日本でも広く受け入れられてきました．

そのため，倫理的問題に悩んだ医療・ケア従事者が参考にできる書籍も，ケースブックをはじめ，数多く出版されています．しかし，医療・ケアの現場で生じる倫理の問題は，それぞれ個別性が強く，型どおりに解決することが困難な場合が少なくありません．そのような場合に助けとなるのが，第三者の立場から，対話を通じて関係者による問題解決を支援する活動，すなわち倫理コンサルテーションです．この活動はアメリカで生まれたものですが，すでに日本でも一定数の病院において導入され，いくつかのガイドラインにおいてその必要性や重要性が指摘されてきました．

それでは，どのように倫理コンサルテーションを導入すればよいのでしょうか．さらには，どのようにコンサルテーションを実践し，改善していけばよいのでしょうか．本書『倫理コンサルテーション ハンドブック』は，これらの疑問に答えることを目的に，現場において倫理コンサルテーションを実践してきた医師および看護師と，医療の問題に取り組んできた法律家および倫理学者によって執筆されました．

各章は，コンサルテーションの導入を考えている医療・ケア従事者が，病院の責任者や現場の医療・ケアスタッフの協力のもと，倫理コンサルテーションの導入・実施・評価を行えるように配慮した構成となっています．先行する海外の取り組みを参考にしながらも，日本の医療現場における経験や社会的状況を基本に書かれており，日本において倫理コンサルテーションを本格的に実施するために必要な知識を網羅したハンドブックとなるようにしました．今回の改訂版では，初版を出版した2019年以降に社会で起きた変化や研究を通じて示された新たな知見を反映させています．また．読者が倫理コンサルテーションを具体的にイメージできるように，「仮想倫理コンサルテーション」を巻末に収録しました．

初版を出版してから5年の間に，日本では倫理コンサルテーションの定着に向けたさまざまな取り組みが行われ，倫理コンサルテーションに関心を持つ人も増えていると考えられます．これからは，実際にこの仕組みを導入し，そこで得られた知見を広く共有することにより，よりよいコンサルテーションを実施するというプラスの循環を生み出すことが求められます．本書がそうした循環を作り出す一助になることを願っています．

2024年8月

執筆者一同

執筆者一覧

堂園 俊彦（どうぞの　としひこ）

静岡大学大学人文社会科学研究科 臨床人間科学専攻・教授

【専門分野】

哲学，倫理学，医療倫理学

【主な著書】

（共編著）倫理コンサルテーション ケースブック，医歯薬出版，2020

（共編著）在宅ケアの悩みごと解決マップ ケースで現場の問題「見える化」します，医歯薬出版，2023

竹下　啓（たけした　けい）

東海大学医学部基盤診療学系医療倫理学領域・教授

【専門分野】

臨床倫理学，内科学，患者安全

【主な著書】

（共編著）倫理コンサルテーション ケースブック，医歯薬出版，2020

（共著）院内事故調査実践マニュアル，医歯薬出版，2015

神谷 惠子（かみや　けいこ）

神谷法律事務所・弁護士

【専門分野】

医療に関連する法的問題の解決，医療安全，弁護士倫理，医療倫理

【主な著書】

（共著）院内事故調査実践マニュアル，医歯薬出版，2015

（共著）患者安全への提言，日本評論社，2019

長尾 式子（ながお　のりこ）

北里大学看護学部臨床看護学・教授

【専門分野】

医療倫理学，臨床看護学

【主な著書】

（共著）京大式 臨床倫理のトリセツ，金芳堂，2023

（共著）新しいチーム医療 看護とインタープロフェッショナル・ワーク入門 改訂版，看護の科学社，2018

三浦 靖彦（みうら　やすひこ）

岩手保健医療大学 臨床倫理研究センター長／同大学看護学部成人看護学・教授

【専門分野】

臨床倫理学，総合診療学，腎臓内科学，航空宇宙医学

【主な著書】

（共著）高齢者ケアと人工透析を考える，医学と看護社，2015

（共著）自分らしい「生き」「死に」を考える，EDITEX，2016

倫理コンサルテーションハンドブック 第2版

Handbook of Ethics Consultation 2nd Edition

CONTENTS

1章　倫理コンサルテーションの基礎 ……02

❶ 倫理とは何か ……02
❷ 生命・医療倫理の 4 原則 ……03
❸ 倫理コンサルテーションとは何か……04
❹ コンサルテーションにおいて扱われる倫理的問題とは何か ……07
❺ 倫理的問題の解決にとってコンサルテーションはなぜ重要か ……09
❻ 倫理コンサルテーションの普及 ……10
❼ 倫理コンサルテーションと法 ……15

2章　倫理コンサルテーションの設置 ……19

❶ コンサルテーションのモデル ……19
❷ 倫理コンサルタントとして必要な知識・スキル・態度 ……23
❸ 導入に必要な環境 ……30
❹ 導入の具体的なステップ ……34

3章　倫理コンサルテーションの進め方 ……41

❶ 倫理コンサルテーションのアプローチ ……41
❷ 依頼の受付 ……43
❸ 依頼の振り分け ……45
❹ 依頼直後の情報収集 ……48
❺ コンサルテーション・ミーティング開催の判断 ……53
❻ コンサルテーション・ミーティングの開催方式 ……53
❼ コンサルテーション・ミーティングの進め方 ……54
❽ 検討結果の扱い ……60

CONTENTS

4章 倫理コンサルテーションの評価 ……65

❶ 評価はなぜ重要なのか ……65
❷ 評価の種類 ……66
❸ 評価基準の設定と評価の方法 ……67

5章 倫理コンサルテーションと関係した活動 ……74

❶ 院内指針の作成・検討 ……74
❷ 教育 ……80

6章 病院外の活動 ……87

❶ 院外倫理コンサルテーション ……87
❷ 病院を超えたネットワーク ……98

7章 参考資料 ……101

❶ 裁判例 ……101
❷ ガイドライン・指針 ……116
❸ 書　籍 ……122
❹ 映像（DVD）教材 ……128
❺ インターネット ……130

付　録 A ／ 133　B ／ 153　　索　引 ／ 167

BOX & コラム一覧

第1章

BOX 1 倫理に関連するさまざまな活動 ……… 06
BOX 2 日本医療機能評価機構の評価項目における倫理コンサルテーション ……… 11
BOX 3 ガイドライン等において求められている倫理的な対応 ……… 12
BOX 4 臨床倫理委員会と倫理コンサルテーション ……… 14
BOX 5 法体系とは ……… 16
BOX 6 地方裁判所の判決，高等裁判所の判決，最高裁判所の判決の位置づけ ……… 17
COLUMN 価値を含んだ言葉にご用心 ……… 18

第2章

BOX 1 倫理コンサルテーション反対論 ……… 30
BOX 2 組織における倫理コンサルテーションの位置づけ ……… 32
BOX 3 倫理コンサルテーション運営規則に入れるべき項目 ……… 38
BOX 4 倫理コンサルテーション導入のフローチャート ……… 39
COLUMN 看護師の声を阻む壁？ ……… 40

第3章

BOX 1 依頼受付のさいに最低限必要な情報 ……… 44
BOX 2 匿名の依頼 ……… 44
BOX 3 臨床倫理委員会で扱うことが適切な問題の例 ……… 47
BOX 4 意見を聞くべき「患者の関係者」とはだれか ……… 51
BOX 5 4分割表を用いた情報整理 ……… 52
BOX 6 主要な倫理的アプローチ法 ……… 59
BOX 7 依頼者へ検討結果を通知する文書へ記載すべき事項 ……… 61
COLUMN 1 何のためのカンファレンス？ ……… 63
COLUMN 2 苦情の背後に倫理あり !? ……… 64

第4章

BOX 1 倫理コンサルテーション実施記録に記載すべき事項 ……… 67
BOX 2 依頼者の満足度を測るための質問項目 ……… 71
BOX 3 評価をめぐる今後の課題 ……… 72
COLUMN ミーティング参加者が発言しないのは感受性に欠けるから？ ……… 73

第5章

BOX 1 院内指針でとりあげられる可能性のあるテーマ ……… 76
BOX 2 指針を周知する方法 ……… 79
BOX 3 勉強会で取りあげるトピックス ……… 81
BOX 4 資格の認定・更新と医療倫理 ……… 82
COLUMN 行政のガイドラインと学会のガイドライン，どちらを参考にすればいいの？ ……… 86

第6章

BOX 1 日本臨床倫理学会による取り組み ……… 94
BOX 2 Web 会議を実施するさいのセキュリティ対策 ……… 96
COLUMN 地域において生じた法的な問題の相談先は？ ……… 100

第7章

COLUMN 裁判例はどのように調べるの？ ……… 131

本書の読み方

本書は，倫理コンサルテーションに関心をもっている人，これから自分の病院に導入しようと考えている人，すでに携わっている人に向けて書かれました．最初から順を追って読むこともできますが，倫理コンサルテーションとの関わり方に応じて，読み始める章を選んでもよいでしょう．

倫理コンサルテーションを知りたい・導入したい場合

そもそも倫理コンサルテーションが何かを理解したい場合，これから自分の病院に導入したいと考えている場合などには，第 1 章から読み始めるのがよいでしょう．倫理コンサルテーションを行う上で前提となる基礎的な事柄や，倫理コンサルテーションの必要性を病院の責任者や同僚に伝える上で役立つ知識や方策が説明されています．

倫理コンサルテーションを導入することが決まっている場合

すでに倫理コンサルテーション導入の方針が決まっている場合には，第 2 章から読み始めるとよいでしょう．この章では，倫理コンサルテーションを実際に導入する上で必要な情報が書かれています．周囲の協力が得られずステップをうまく進められない場合には，第 1 章に戻り，倫理コンサルテーションの意義を院内の誰に，どのように理解してもらうとよいのか，アイデアを練ってみましょう．

倫理コンサルテーションをすでに実施している場合

すでに倫理コンサルテーションを実施している場合には，倫理コンサルテーションの進め方を説明している第 3 章から読み始め，自分たちのやり方を見直すとよいでしょう．これまでに一定数のコンサルテーションを行なっているなら，倫理コンサルテーションの評価を扱った第 4 章にも目を通し，これまでの活動を評価しましょう．院内指針や院内倫理教育に問題があると考えられる場合には，これらの活動を扱った第 5 章が参考になります．コンサルテーション活動がすでに一定レベルに到達しているなら，第 6 章に目を通し，院外で倫理コンサルテーションを実施することを検討してもよいでしょう．

本書巻末には，倫理コンサルテーションを実施するさいに必要となる規程や様式，さらには院内指針のモデルが付けられています．これらの資料は，生命・医療倫理研究会ホームページ（https://square.umin.ac.jp/biomedicalethics/）からダウンロードができます．また，本書の姉妹書である『倫理コンサルテーション ケースブック』では，コンサルテーションで扱われる事例を検討するさいに参考になる考え方が包括的に扱われています．本書と併せてご活用下さい．

倫理
コンサルテーション
ハンドブック

第2版

1章　倫理コンサルテーションの基礎……02

2章　倫理コンサルテーションの設置……19

3章　倫理コンサルテーションの進め方……41

4章　倫理コンサルテーションの評価……65

5章　倫理コンサルテーションと関係した活動……74

6章　病院外の活動……87

7章　参考資料……101

付録　A／133　B／153

1章 倫理コンサルテーションの基礎

倫理コンサルテーションとは，医療やケアの現場において倫理的問題に直面した人々が，これらの問題を解決できるように支援する活動です．それでは，そもそも「倫理」とは何であり，なぜ「倫理的問題」を解決する上で，「倫理コンサルテーション」という活動が有効なのでしょうか．また，倫理コンサルテーションは日本においてどの程度広まっており，今後も広まっていくのでしょうか．本章では，これらの疑問を，倫理コンサルテーションに関する導入として取り上げます．

1 倫理とは何か

倫理という言葉は，日常的に使われるわけではありません．むしろこの言葉は，何か問題が起きたときに使われます．ですから「倫理」という言葉を聞くと，「何かやっかいなことが生じたのかな」と思う人もいると思います．

しかし，問題が生じたときにのみ話題になるということは，倫理が，普段は意識されなくても，私たちにとって必要不可欠なものであることを示唆しています．例えば大気も，私たちの生を支える大切なものです．しかし，大気汚染や温暖化という問題が生じなければ，これほど熱心に論じられることはないでしょう．もちろん，倫理と大気は，私たちの生を異なる仕方で支えています．空気は私たちの生物学的な生を支えているのに対し，倫理は，私たちの社会的な生を支えています．倫理とは，人と人の関係を根底で支えているものなのです．

道徳という言葉もまた，倫理と同じく，私たちの社会的関係を支えているものを意味します．しかし倫理は，実際に支えているものだけではなく，そうしたものについて「あらためて考える」という活動も意味しますが，道徳という言葉にそうした活動は含まれていません．「倫理学」とは言えても「道徳学」と言えないのは，この違いに由来します．倫理コンサルテーションもまた，「あらためて考える」という活動の一つであり，それゆえ道徳コンサルテーションとは言えないのです．

2 生命・医療倫理の４原則

それでは，人と人の関係を根底で支える倫理とは，具体的にどのようなものでしょうか．倫理の具体的な姿を理解する１つの方法は，倫理を規範，つまり従うべきルールから理解するというものです．「人を殺してはならない」，「人の物を盗んではいけない」というルールは，いずれも人間が社会生活を営む中で必要不可欠なものであると言えるでしょう．医療において基本的な倫理的ルールとして広く受け入れられているのが，生命・医療倫理の４原則です[1]．ここでは各原則について簡単に説明します．

① 自律尊重原則

医療・ケア従事者は，この原則にもとづき，患者の自律的な決定を尊重するように求められます．インフォームド・コンセントは，この原則を具体化したものです．医療・ケア従事者は，患者に医療やケアを提供するさい，その人に必要な情報を提供し，その情報を理解した上で患者が行なった決定を尊重する必要があります．

② 無危害原則

医療・ケア従事者は，この原則にもとづき，患者に危害を加えないように求められます．そのため，例えば，得られる結果が同等である二つの治療方法があったとき，医療・ケア従事者は，基本的に，侵襲の少ない方を選択しなければなりません．なお，ここで言われる「危害」には，心理的なものも含まれます．医療・ケア従事者の何気ない一言が相手を深く傷つけてしまう場合もあります．自分の発言が相手に精神的苦痛を与えないかどうかを考えることも，この原則から求められます．

③ 善行原則

医療・ケア従事者は，この原則にもとづき，患者へ利益をもたらすように求められます．医療が患者にもたらす利益の１つは，病気の治癒です．しかし無危害原則における「危害」と同じく，ここでの「利益」も多様です．例えば，積極的な治療による利益をそれほど望めない終末期の患者に緩和医療を提供したり，嚥下機能が衰えた患者に食べたいものを食べてもらう工夫をすることも，善行原則の観点から，医療・ケア従事者に求められます．

---

1 Beauchamp T, Childress J. *Principles of biomedical ethics,* 8th Edition. Oxford：Oxford University Press, 2019.［立木教夫・足立智孝監訳．生命医学倫理 第五版．麗澤大学出版会；2009.］

④ 正義原則

医療・ケア従事者は，この原則にもとづき，人々を公平に扱うように求められます．このとき大切なのは，公平な扱いが，同じ仕方で扱うことを意味しないということです．例えば，より重度の患者を優先的に集中治療室へ運ぶことは，公平な扱いであると言えます．また，公平さは，社会的なレベルでも問題になります．例えば，患者の求めに応じて効果の期待できない治療を続けることは，医療資源の公平な配分を損なう可能性があります．

これらの原則については，2つのことに気をつける必要があります．第一に，個々のケースにおいて4原則をどのようにして用いるかは，必ずしも明確ではありません．例えば，認知症が進行したために意思表明できなくなった人（Aさん）が経口摂取困難となり，今後のケア方針を決めなければならないとします．このとき，10年前にリビング・ウィルとして残された本人の希望を，現在の自律的判断として認めてよいのか，戸惑う医療・ケア従事者はいるでしょう．

第二に，個々のケースで4原則を用いるさいに，4原則同士が対立することがあります．Aさんのリビング・ウィルや，その後のさまざまな発言も考慮した結果，人工的水分・栄養補給を含んだ積極的介入の不開始を本人の推定上の意思として認めるとしても，その介入によって当面のあいだ生きていけるのであれば，開始しないことに躊躇する医療・ケア従事者はいるはずです．ここでは，自律尊重原則と善行原則の対立が生じています．個別の事例におけるこうした対立を解決するためには，原則を学ぶことに加え，倫理コンサルテーションを適切に進める方法を学ぶ必要があります（➡第3章-❼-③）．

3 倫理コンサルテーションとは何か

すでに述べたように，「倫理コンサルテーション」も，倫理についてあらためて考える活動の一つです．それでは，どのような場合に，何を目的にこの活動は行われるのでしょうか．

この問いに対する答えは，倫理コンサルテーションに関する代表的な定義に示されています．その定義によると，倫理コンサルテーションとは，「患者，家族，代理人，医療提供者，その他の関係者が，医療の実践と提供において生じる価値観の対立や不確実性に対処するのを支援するために，個人，小規模チーム，または委員会が提供するサービス」[2]というものです．すなわち，倫理コン

2　Aulisio MP, Youngner SJ. Ethics Committees and Ethics Consultation. Jennings B. (ed.), *Bioethics* 4th ed., vol. 2. Macmillan Reference USA；2014, pp.602-608.

サルテーションとは，臨床現場において価値観の対立や不確実性という問題が生じたときに，関係者が倫理についてあらためて考え，その問題に対処できるように支援する活動なのです．日本では，支援のプロセスにおいて医療・ケア従事者が臨床倫理の専門家から助言を受けることに焦点をあて，「医療従事者の依頼に応じて，臨床倫理の専門家が患者診療における倫理的問題を同定，分析し，依頼者に適切な倫理的アドバイス（助言）を行う支援活動」[3]と定義されることもあります．

アメリカにおいて，倫理コンサルテーションは，大きく二つに区分されます[4]．一つ目は，「患者に関していま生じている倫理的問題」に対する支援であり，「ケース倫理コンサルテーション（case ethics consultation）」と呼ばれます．日本において倫理コンサルテーションという言葉は，通常この活動を意味しています．二つ目は，「ケース外倫理コンサルテーション（non-case ethics consultation）」と呼ばれ，ケース倫理コンサルテーション以外のさまざまな活動を含みます．具体的には以下のようなものが考えられます．

- 医療倫理のトピックに関する一般的な問いへの回答
- 医療倫理に関する政策の解釈
- 医療倫理の視点からの文献レビュー
- 組織の倫理に関わる問題の分析
- 仮定上あるいは過去の倫理的問題に対する回答
- インフォームド・コンセントの説明文書の確認
- 他部門が作成した院内指針のチェック

本書では，これら二つのコンサルテーションのうち，ケース倫理コンサルテーションを中心に扱います．（本書において「倫理コンサルテーション」は，「ケース倫理コンサルテーション」を意味します．）というのも，倫理コンサルテーションが求められる背景には，患者に関していま生じている倫理的問題を解決してほしいという現場の切実なニーズがあるからです．

しかし，二つの倫理コンサルテーションは，いつもきれいに分けられるわけではありません．例えば，人工呼吸器の停止をめぐる倫理ケースコンサルテーションは，人工呼吸器の取り外しが一般的に許されるかという問いと不可分ですし，過去の事例に対する回答は，今後生じるケース倫理コンサルテーション

---

3 浅井篤．臨床倫理 - 基礎と実践．シリーズ生命倫理学 第13巻 臨床倫理（浅井篤，高橋隆雄編）．丸善出版；2012，p.3.

4 「ケース倫理コンサルテーション」と「ケース外倫理コンサルテーション」の区分に関する説明は，アメリカの退役軍人健康庁にある国立医療倫理センターが作成した冊子のものを参考にしました．National Center for Ethics in Health Center. *Ethics Consultation Responding to Ethics Questions in Health Care*, 2nd Edition. 2015, p.23.

と密接に結びついているからです．倫理コンサルテーションの仕組みを作るさいには，はじめからケース外倫理コンサルテーションを排除しないように気をつけましょう．

倫理に関連するさまざまな活動

医療現場では，倫理に関連したいくつかの活動が行われています．倫理コンサルテーションとこれらの活動の関係について確認しておきましょう．

倫理カンファレンス

倫理的な事柄についての話し合いは，しばしば「倫理カンファレンス」と呼ばれています．倫理コンサルテーションの一プロセスであるコンサルテーション・ミーティング（➡第３章－❻）も倫理カンファレンスと呼ぶことができますが，それ以外にも，倫理的問題に直面した当事者によって実施される場合など[5]，様々な形で行われます．

倫理調整

日本看護協会は，1995年から，特定の専門看護分野の知識・技術を深めた専門看護師の認定を行っています．認定を受けた専門看護師は，実践，相談，調整，教育，研究の他，「個人，家族及び集団の権利を守るために，倫理的な問題や葛藤の解決を図る」[6]という倫理調整の役割を担うとされています．倫理調整にはさまざまな活動が含まれており，所属施設の方針によっては，専門看護師が倫理調整の一環として，倫理コンサルテーションや医療メディエーションを実施する場合もあるようです．

医療メディエーション

医療メディエーションとは，「患者側と医療者側の対話を促進することをとおして情報共有を進め，認知齟齬（認知的コンフリクト）の予防・調整を支援する関係調整モデル」[7]であり，近年日本でも医療メディエーターの導入が進んでいます[8]．医療メディエーションと倫理コンサルテーションは，患者・家族等と医療・

5　田代志門．臨床倫理サポートの新しい流れ　委員会からチーム，そして対話の文化へ．看護管理 2019；29（8）：702-708．

6　日本看護協会．専門看護師．https://www.nurse.or.jp/nursing/qualification/vision/cns/

7　和田仁孝，中西淑美．医療メディエーション―コンフリクト・マネジメントへのナラティヴ・アプローチ．シーニュ：2011，p. 2．

8　2022年の診療報酬改定で，「集中治療領域において，特に重篤な状態の患者及びその家族等に対する支援を推進する観点から，専任の担当者（入院時重症患者対応メディエーター）を配置して当該患者等に対する支援を行う体制を整備した場合」について新たに評価されるようになりました．

ケア従事者の間に生じる（生じうる）問題を扱っている点で類似していますが，前者が患者と医療・ケア従事者の間に直接介入することを前提にしているのに対し，日本の倫理コンサルテーションにおいて，コンサルタントは，基本的に患者・家族等と直接関わることはありません．しかし，倫理コンサルタントが患者・家族等と接することもあるアメリカでは，近年，倫理コンサルタントにメディエーションのスキルが求められ，生命倫理メディエーション（bioethics mediation）として教育を行なっている大学もあります[9]．日本の倫理コンサルタントがメディエーションを担うことが望ましいのかに関しては，今後の検討課題です．

4 コンサルテーションにおいて扱われる倫理的問題とは何か

それでは具体的に，医療・ケアの現場では，どのような倫理的問題が生じているのでしょうか．ここでは，倫理コンサルテーションにおいてしばしば扱われる事例を4つのグループに分類することを通じて，倫理的問題の輪郭を描きたいと思います[10]．

① 患者・家族等の意向と医療・ケア従事者の意向が対立する場合

このグループは，対立のあり方に応じて，三つに分けられます．一つ目は，入院が必要な患者が退院を強く希望する場合など，患者・家族等が医療・ケアに納得していない場合です．二つ目は，医師が勧める治療を自らの信仰にもとづき患者が同意しないケースなど，有益な医療・ケアの実施について患者の同意を得られない場合です．三つ目は，患者に害を及ぼすと思われる抗がん剤治療を，全身状態の悪化した患者が求めるケースなど，患者が無益（ないしは有害）な医療・ケアを望んでいる場合です．

② 患者の意思決定能力に関して問題がある場合

このグループは，大きく二つに分けられます．一つ目は，患者の意思決定能力[11]の評価に関わる問題であり，認知症患者本人の能力評価をしないままに家

---

9 Penn Medical Ethics & Health Policy. Clinical Ethics Mediation Certificate. https://medicalethicshealthpolicy.med.upenn.edu/master-of-bioethics/certificate-in-clinical-ethics-mediation

10 ここで説明する①から④についてさらに詳しく知りたい方は，『倫理コンサルテーション ケースブック』（以下，『ケースブック』）（医歯薬出版）を参照してください．①は『ケースブック』1章から3章に，②は4章から6章に，③は7章に，④は8章から10章に対応しています．

11 意思決定能力に関しては，『ケースブック』第4章を参照してください．

族と医師が方針を決定するケースや，意思決定能力はあるものの法的には未成年である高校生が人工妊娠中絶を希望しているケースなどが含まれます．二つ目は，患者の意思決定能力が無い場合の対応をめぐって生じる問題です．この問題はさらに，事前指示などを通じて患者の意思や思いを知ることはできるものの，家族の意向と対立するなど，そのまま尊重することに問題がある場合と，予後不良の新生児に対する治療方針の決定のように，そうした意思・思いがない／分からない中で関係者の意見が対立する場合に分けられます．

③ 患者の情報の取り扱いをめぐり問題が生じている場合

医療・ケア従事者は，専門職として伝統的にいくつかの義務を課されてきました．その一つが患者の秘密を守るという守秘義務であり，この義務は，日本において法律上の義務としても位置付けられています．しかし，守秘義務を遵守することにより，患者本人や第三者に危害が生じる可能性もあります．また，医療・ケア従事者には，個人情報保護法等を踏まえ，適切に対応することが求められます．

④ 患者を中心に医療・ケアの方針を決定することが困難な場合

このグループは，困難な事態を生じさせている要因に従い，三つに区分されます．一つ目の要因は「家族等の影響」です．疎遠だった遠方に住む親族が突然医療・ケアの方針に関して意見を述べるケースなどが含まれます．二つ目の要因は，「医療・ケア従事者や第三者の利益・不利益」です．例えば，大規模な事故によって，集中治療室のベッド数を超える多数の重症患者が搬送されてきた場合，患者への医療の提供は，他の患者の状況も踏まえて決められる必要があります．最後の要因は，「法律など」です．ある行為の実施について現場にいる関係者がいくら納得していても，法律に抵触する可能性がある場合には，慎重な検討が求められます．

ここで整理した倫理的問題は，先ほど説明した生命・医療倫理の 4 原則から分析することも可能です．①の例として示した，害を及ぼすと思われる抗がん剤の使用を求める患者のケースは，患者の自律を尊重すべきという原則と，抗がん剤による危害を避けるべきという原則が対立しています．また，④の例として示した，多数の重症患者に対する医療への提供は，公正性を核とする正義原則の観点から検討される必要があります．

5 倫理的問題の解決にとってコンサルテーションはなぜ重要か

医療・ケアを提供する人々は，しばしば倫理的問題につきあたります．複数の選択肢の中で，どのような振る舞いがもっとも望ましいのか，確信がもてなくなったり，関係者のあいだで意見が対立したりします．倫理コンサルテーションとは，こうした倫理的問題の解決を支援する活動として発展してきました．それでは，どのようにして倫理コンサルテーションは，倫理的問題の解決に貢献できるのでしょうか．コンサルテーションの提供方法は，病院の状況や扱われるケースに応じてさまざまですが，基本的には，多様なバックグラウンドをもった人たちによる対話が重視されます．そこでここでは，こうした対話がどのように問題解決をもたらすのかを説明します．

① 情報の共有

適切な解決は，十分な情報に基づいている必要があります．➡本章❷で述べた，経口摂取困難となったAさんの事例を再び取り上げましょう．認知症が進行していく中でも，Aさんは，介護スタッフに，人工的水分・栄養補給に対する現在の思いを理解する上で大切な言葉や反応を表しているかもしれません．こうした情報をしっかりと共有する上で，さまざまな人による対話が有効です．

② 新たな解決方法の発見

より多くの情報を踏まえて話し合うことにより，それまで考えられていなかった解決方法が見つけられるかもしれません．例えば，Aさんに関する話し合いに管理栄養士が参加していれば，Aさんの残存能力に合わせた食事の提供方法を提示できるかもしれません．こうすることで，「Aさんの自律的判断の尊重か，人工栄養による善行原則の尊重か」という対立自体を避けることが期待できます．

③ 考え方の変化

自分とは異なる意見に接することにより，人々の考え方に変化が生じ，合意がもたらされる可能性が生まれます．例えば，話し合いの当初，何もしないでほしいと訴えていた家族が，意思決定できなくなったとしても，その人の全てが失われることではないと考えるようになり，ケアの継続に同意する可能性は十分にあります．

倫理とは，私たちの関係を支えているものを意味すると同時に，それをあらためて（批判的に）考える活動です．対話は，そうした活動を可能にし，倫理的問題を解決する力をもっています．倫理的問題への対処は時として非常に困難であり，最終的には物別れに終わることもあります．しかし，実際に話し合ってみることにより，さまざまな形で解決できる場合もあることも事実なのです．

6 倫理コンサルテーションの普及

現在，日本にあるすべての病院のうち，どの程度の病院が倫理コンサルテーションを行っているのか，正確な割合は分かりません．ただ，いくつかの調査はなされてきました．2004年に640の臨床研修指定病院を対象とした調査によれば，倫理コンサルテーションの窓口をもっている病院は約4分の1に過ぎませんでした[12]．しかし，同じ病院を対象に行われた2016年の調査では，その割合が70％まで上昇しています[13]．また，2012年に日本集中治療医学会評議員が所属する施設（164）を対象にした調査では，85％が臨床上の問題を扱う倫理委員会をもっていることが示されており[14]，同年に日本医療機能評価機構による評価を受けている病院（2,433）を対象に行われた調査でも，回答した472病院のうち，394の病院に倫理委員会が設置されており，そのうちの239の病院において倫理コンサルテーションが行われていることが明らかになっています[15]．さらに，2020年にがん診療連携拠点等病院（447）を対象にした調査では，「臨床倫理委員会の役割を教えてください」という問いに回答した143施設のうち，112施設（78.3％）が「臨床現場で起こった倫理的問題にその都度対応する」という選択肢を回答しました[16]．日本においても，倫理コンサルテーション定着の土台ができあがりつつあると言えるでしょう．

こうした変化をもたらした要因として，次のような出来事が考えられます．医療機関の質の評価を行っている日本医療機能評価機構は，2002年に運用を開始したヴァージョン4.0において，「倫理上問題となる症例や課題について検討する仕組みがあり機能している」という評価項目を導入し，その後のヴァージョンアップでも，この点を重視してきました（BOX2）．また，厚生労働省は，2007年に，「終末期医療の決定プロセスに関するガイドライン」を発表し，関

---

12 長尾式子，瀧本禎之，赤林 朗．日本における病院倫理コンサルテーションの現状に関する調査．生命倫理 2005；15（1）：101-106.

13 Nagao N, Takimoto Y. Clinical Ethics Consultation in Japan：What does it Mean to have a Functioning Ethics Consultation? Asian Bioeth Rev. 23；16（1）：15-31. なお，対象施設数は，2004年調査よりも大幅に増え，1,028病院となっています．

14 日本集中治療医学会倫理委員会．日本集中治療医学会評議員の所属施設における臨床倫理に関する現状調査．日本集中治療医学会雑誌 2013；20：307-319.

15 Dowa Y, Takimoto Y, Kawai M, et al. Hospital Ethics Committees in Japan：Current Status From an Exploratory Survey 2012-2015. Am J Prevent Med Public Health. 2022；8（5）：1-6.

16 一家綱邦．臨床"倫理委員会の実態調査―質問紙調査と委員会規程の分析の結果報告―．生命倫理 2022；32（1）：49-59.

係者の意思統一が困難である場合，「複数の専門家からなる委員会を別途設置し，治療方針等についての検討及び助言を行うこと」を求めました[17]．現在では，終末期医療に加え，遺伝学的検査・診療やがん診療の文脈でも，倫理的な対応が求められるようになっています（BOX3）．

BOX 2 日本医療機能評価機構の評価項目における倫理コンサルテーション

病院機能評価は，2014 年度より，「3rd G」による評価を始めています（「3rd G」は，第三世代を意味しています）．2023 年 4 月から始まったヴァージョン 3.0 において，倫理コンサルテーションは，以下の評価項目に関係します．

1 患者中心の医療の推進
1.1 患者の意思を尊重した医療
1.1.6 臨床における倫理的課題について継続的に取り組んでいる

【評価の視点】

臨床倫理に関する課題を病院として検討する仕組みがあり，主要な倫理的課題について方針・考え方を定めて，解決に向けた取り組みが継続的になされていることを評価する．

【評価の要素】

・主要な倫理的課題についての方針
・倫理的な課題を共有・検討する場の確保
・倫理的課題についての継続的な取り組み[18]

2 良質な医療の実践 1
2. 1　診療・ケアにおける質と安全の確保
2. 1. 11 患者・家族の倫理的課題等を把握し，誠実に対応している

【評価の視点】

臨床の様々な場面で生じる個別具体的な倫理的課題について，実際の対応状況を評価する．

---

17 このガイドラインは，2006 年に明らかになった，射水市民病院（富山県）における人工呼吸器の取り外しをきっかけに作成されました．2018 年には，介護施設や自宅における療養や看取りを踏まえ，名称を「人生の最終段階における医療・ケアの決定プロセスに関するガイドライン」へ変更しています．これに伴い，「複数の専門家からなる委員会」も，「複数の専門家からなる話し合いの場」となりました．

18 評価項目表は，病院の機能に応じて 7 種類ありますが，緩和ケア病院の場合，評価の要素に，「必要に応じた倫理委員会の判断」が加わります．

【評価の要素】
・患者・家族の抱えている倫理的課題の把握
・診療・ケアにおける倫理的課題を検討する仕組み
・解決困難な倫理的課題への対応

ガイドライン等において求められている倫理的な対応

・日本小児科学会「重篤な疾患をもつ子どもの医療をめぐる話し合いのガイドライン」（2012年）

治療の差し控えや中止を検討する際は，当該施設の倫理委員会や倫理的問題を議論するケースカンファランス，第三者機関等（倫理コンサルテーションサービスなど）にも諮ることが望ましい．

・日本救急医学会・日本集中治療医学会・日本循環器学会「救急・集中治療における終末期医療に関するガイドライン～3学会からの提言～」（2014年）

医療チームで判断ができない場合には，施設倫理委員会（臨床倫理委員会など）にて，判断の妥当性を検討することも勧められる．

・日本集中医療学会「Do Not Attempt Resuscitation（DNAR）指示のあり方についての勧告」（2016年）

DNAR指示の実践を行う施設は，臨床倫理を扱う独立した病院倫理委員会を設置するよう推奨する．

・厚生労働省「人生の最終段階における医療・ケアの決定プロセスに関するガイドライン」（2018年）

家族等の中で意見がまとまらない場合や，医療・ケアチームとの話し合いの中で，妥当で適切な医療・ケアの内容についての合意が得られない場合等については，複数の専門家からなる話し合いの場を別途設置し，医療・ケアチーム以外の者を加えて，方針等についての検討及び助言を行うことが必要である．

・日本医学会「医療における遺伝学的検査・診断に関するガイドライン」（2022年3月改定）

被検者の診断結果が血縁者の健康管理に役立ち，その情報なしには有効な予防や治療に結びつけることができないと考えられる場合であって，血縁者への開示について被検者の同意が得られないときには，「担当する医師の単独の判断ではなく，倫理カンファレンスや当該医療機関の倫理委員会に諮るなどの対応が必要である」．

・厚生労働省健康局長「がん診療連携拠点病院等の整備について」(2022年8月1日)

➡ がん患者の病態に応じたより適切ながん医療を提供できるよう,以下のカンファレンスをそれぞれ必要に応じて定期的に開催すること.特に,ⅳのカンファレンスを月1回以上開催すること.…

ⅳ 臨床倫理的,社会的な問題を解決するための,具体的な事例に則した,患者支援の充実や多職種間の連携強化を目的とした院内全体の多職種によるカンファレンス

それでは今後,日本の倫理コンサルテーションはさらに発展するのでしょうか.ここでは,1970年代から,臨床の問題を扱う倫理委員会の一機能として倫理コンサルテーションが広まったアメリカを参考に,この問題を考えてみましょう.そのさい特に注目すべきは,倫理コンサルテーションの法的な効力をめぐるアメリカと日本の違いです.アメリカでは,1976年にニュージャージー州最高裁判所で下された判決において,倫理コンサルテーションに法律上の効力が認められました.この裁判では,遷延性意識障害に陥った女性(カレン・アン・クインラン)から,人工呼吸器を取り外すことの是非が問われました.判決において裁判所は,一定の条件のもと,医師による人工呼吸器の取り外しを認め,法的責任を問わないとしましたが,その条件には,医師と院内倫理委員会との協議が含まれていました.ニュージャージー州の最高裁判所で出されたこの判決は,その後,アメリカ全土における倫理コンサルテーションの拡大を後押しすることになり,2000年の調査では,100床以上の病院の90%以上に倫理コンサルテーションが導入されていることが明らかになっています.さらに,2018年の追跡調査では,2000年には65%にとどまっていた100床未満の病院の設置率も76%まで伸び,年間の相談件数に関しても,0件の病院が22%から14%に減少すると共に,平均して扱う件数も増えていました.例えば,400床以上の病院では,12から15件だった相談件数が2倍以上になっています[19, 20].

日本においても,倫理委員会の関与が法的に求められることがあります.例えば,「『臓器の移植に関する法律』の運用に関する指針」(1997)は,小児臓器移植や非親族間臓器移植に関して,倫理委員会の関与を求めています.しかし,このように位置付けられたとしても,倫理委員会の決定に法的な拘束力があるわけではありません.2008年,千葉県のある病院の倫理委員会が,筋萎縮性側

19 Fox E, Myers S, Pearlman RA. Ethics Consultation in United States Hospitals : A National Survey. Am J Bioeth. 2007 ; 7 (2) : 13-25.
20 Fox E, Danis M, Tarzian AJ, et al. Ethics consultation in U.S. Hospitals : A National Follow-up Study. Am J Bioeth. 2022 : 22 (4) : 5-18.

索硬化症（ALS）患者の人工呼吸器を外すことは許されるという結論を出しましたが，病院長は，医師が刑事責任を問われる可能性があるという理由で，取り外しを認めませんでした[21]．

このような中で，倫理コンサルテーションの仕組みは広がっていくのだろうか，あるいは広げることにどのような意味があるのだろうかと疑問に思う人もいるでしょう．さらには，千葉県で起きたような問題を解決するのは，倫理コンサルテーションではなく，取り外した医師の刑事責任を免除する法律なのではないかと主張されるかもしれません．しかし，法律の導入は，「法律に従っているのだから」という発想のもと，医療現場の多様性，専門性を無視した機械的な判断を広めることになる可能性があります．そのため，現在では医療の現場において，多様な利益衡量や専門性が問題になる場合では，参加した上で，定められた手続きに従って，多職種が話し合って決めた合意事項については，犯罪にはならないとの刑法上の議論がなされています．さらに，2007年に厚生労働省が「終末期医療の決定プロセスに関するガイドライン」を示して以降，終末期医療に関して刑事訴追された事例はないという事実も忘れてはならないでしょう[22]．倫理コンサルテーションは，こうした事実を共有し，法的責任を問われるのではないかという懸念をあらためて問い直す場としても重要であるように思われます．

臨床倫理委員会と倫理コンサルテーション

日本における「倫理委員会」は，基本的に，人を対象とした医学系研究の審査を役割としていました[23]．しかしアメリカでは，研究の審査を目的とする研究倫理委員会（Research Ethics Committee：REC）とは別に，臨床の問題を扱うことを目的とした，病院倫理委員会（Hospital Ethics Committee：HEC）ないしは臨床倫理委員会（Clinical Ethics Committee：CEC）が整備されてきました．本書では，RECを「研究倫理委員会」，HECおよびCECを「臨床倫理委員会」と呼び，これらを含むものとして，「倫理委員会」という言葉を用います．

臨床倫理委員会は，その目的から明らかなように，倫理コンサルテーション活

---

21 『倫理的には問題ない』難病患者の呼吸器外し 千葉の病院倫理委見解」，『朝日新聞』2008年10月8日．

22 ここでの議論は，樋口範雄教授の議論を下敷きにしています．樋口範雄．終末期医療と法．医療と社会 2015；25（1）：21-34．

23 日本における初めての倫理委員会は，1982年，体外受精の実施について審査することを目的に，徳島大学医学部に設置されました．日本における倫理委員会の歴史に関しては，以下の文献を参照して下さい．長尾式子，赤林朗．医学研究と臨床のバイオエシックス．木村利人編集主幹．バイオエシックス・ハンドブック―生命倫理を超えて．法研；2003，pp.376-396．

動[24]と密接に結びついています．1960年代にはすでに，シアトル人工腎臓センターにおいて，希少な人工透析器の利用者を判断する委員会が設置されていましたが，70年代に入ると，臨床倫理委員会に相当する，より広い問題を扱う委員会をもつ病院も現れました．ニュージャージー州の最高裁判決は，こうした状況を踏まえ，それらの委員会に法廷の代わりを担わせようとしたのです．

今日，倫理コンサルテーションの提供母体は，臨床倫理委員会だけではありません．組織のあり方がさまざまであることを考えるなら，臨床倫理委員会にしばられずにサービスの提供形態を検討することも必要でしょう．しかし，倫理コンサルテーションを臨床倫理委員会の活動の一部として展開することには一定のメリットがあることも事実です（➡第2章-❶）．そのため本書では，倫理コンサルテーションを，臨床倫理委員会のもとで展開することを基本にしています．

7 倫理コンサルテーションと法

倫理コンサルテーションで扱われる問題には，法が関わる場合が少なくありません．このことを理解するためには，「法は，倫理の最低限である」[25]というドイツの公法学者ゲオルグ・イェリネクの言葉が参考になります．

この言葉は，一方において，法と倫理とが異なることを示しています．例えば，主治医が患者や家族との面談に寝坊して遅れたにもかかわらず，「担当の患者さんが急変して」と嘘をつくことは，倫理的には非難の対象になりますが，直ちに法的責任を問われるようなことではないでしょう．

他方で，イェリネクの言葉は，法と倫理が部分的に一致することも述べています．例えば，「人を殺してはならない」という規範は，法に属すると同時に，倫理，しかもその基礎的な部分（最低限）を形づくるものでもあります．そのため，倫理コンサルテーションを進めていく上では，法の定めがあるときには，それを遵守しなければなりません．ここでいう法は，国会が定める法律だけでなく，その委任を受けた行政が定める政令や省令を含みます（BOX5）．また，法の内容として判例（BOX6）やガイドラインが参考になることもあります．➡第7章では，倫理コンサルテーションを実施するにあたり，参考となる判例や

24 日本では，近年，研究をめぐる倫理的問題を扱う「研究倫理コンサルテーション」の活動も見られるようになってきました．「研究倫理コンサルテーション」との区別を明確にするため，本書で扱う倫理コンサルテーションが「臨床倫理コンサルテーション」と呼ばれることも増えています．英語では，healthcare ethics consultation あるいは clinical ethics consultation といいます．ただし，現在のところ，「倫理コンサルテーション」という言葉は，基本的に「臨床倫理コンサルテーション」を意味するため，本書では「臨床倫理コンサルテーション」という用語は用いません．

25 ゲオルグ・イェリネク．法・不法及刑罰の社会倫理的意義．大森英太郎訳．岩波書店；1936，p.58.

ガイドラインを挙げましたので，参考にしてください[26].

ただし，倫理コンサルテーションが問題となる場面では，法律の規定がない中で，利益衡量や調整が必要となる場合が少なくありません．このような場合でも，倫理コンサルテーションにおいて，判断の基礎となる事実が適切な形で確認され，正しい法的な情報に基づき，専門家による知見等を考慮した上で結論を導き出しているのであれば，その判断は違法とすべきではないと指摘する刑法学者もいます．例えば,「人生の最終段階における医療・ケアの決定プロセスに関するガイドライン」にもとづき,「多職種から構成される医療・ケアチーム」が，上記の点を踏まえて導いた結論であれば，基本的には違法ではないと考えられます[27].

なお，もし倫理コンサルテーションチームが，法と著しく乖離するような結論を医療・ケアチームに示し，その助言に従った医療・ケアチームの行為から悪しき結果が生じたときには，コンサルテーションチームの善管注意義務が問われる可能性もあります．こうした問題を避け，適切な結論を導くために，扱われる問題に応じて適切に倫理コンサルテーションのモデル（➡第2章）を選ぶ必要がありますし，倫理コンサルタントには，第2章で説明する「中心的能力」を身につけるよう努力することが求められます．

法体系とは

下位の法が上位の法に反した場合は，無効となります．

法体系を簡単に概括してみると

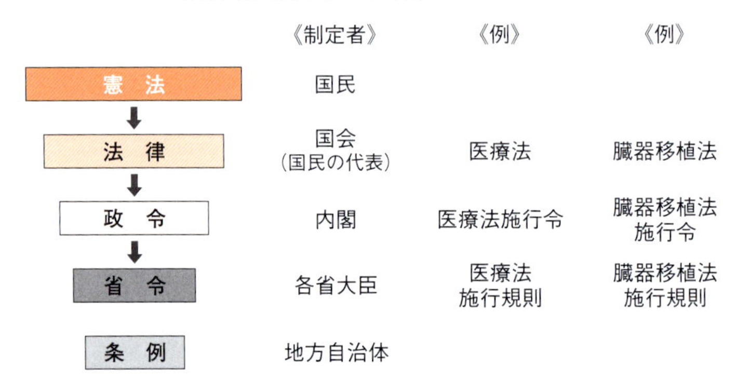

26 倫理コンサルテーションにおいて扱われる事例と法・ガイドラインとの関わりを包括的に知りたい場合には,『ケースブック』を参照してください.

27 ここでの議論は，井田良教授の議論を踏まえています．井田良．臨床倫理に関する判断の「手続化」と刑事責任．高橋則夫先生古稀祝賀論文集［下巻］．成文堂；2022，p.489.

地方裁判所の判決，高等裁判所の判決，最高裁判所の判決の位置づけ

通常，地方裁判所は，民事訴訟の第一審裁判所で，原告・被告の主張と証拠に基づき審理され，判決されます．判決の結果に不服があるときには，第二審の裁判所である高等裁判所に控訴ができます．高等裁判所は，第一審の継続審として，改めて判決をします．このとき，地方裁判所の判決の結論や理由を変更することがあります．高等裁判所の判決に不服がある場合には，最高裁判所に上告することができます．しかし，最高裁判所は，高等裁判所の判決に憲法違反や重大な法令違反がない限り，実質的な審理を行いません．審理が行われない場合の決定は「上告却下」「上告不受理決定」と呼ばれ，高等裁判所の結論が確定することになります．判決文は，結論部分と理由からなり，特に，最高裁判所の判決においては，結論を導く上で意味のある法的な理由付けの部分を「判例（判決理由ともいい，それ以外の部分を傍論という）」と言います．判例（判決理由）は，後に起こる別事件で同じ法律問題が争点になったときには，先例として扱われますので，コンサルタントは相談があったときに，まずは先例があるのかどうかを確認しましょう．それ以外の判決については，同種の事案があるのか，ある場合にどのような判断をしているのかの参考にして，検討していきましょう．

1章 ここがポイント！

- 倫理とは，人と人の関係を根底で支えているものです．
- 倫理の基本的な規範として，生命・医療倫理の4原則（①自律尊重原則，②無危害原則，③善行原則，④正義原則）が広く受け入れられています．
- 本人の意思決定能力が低下している時，関係者の間で意向や意見の対立がある時，社会通念や法律に抵触する懸念があるときなどに，倫理的問題は生じます．
- 倫理コンサルテーションを通じて，多くの倫理的課題を多角的に検討することができます．
- 法は倫理の最低限とされています．法の定めがある場合には，法を遵守する必要があります．

COLUMN

価値を含んだ言葉にご用心

あるとき，脳梗塞で入院した患者さんの家族が，「本人は延命治療を望んでいなかったので，点滴も酸素も中止してほしい」と訴えてきました．確かに大きな脳梗塞でしたが，救命できる可能性は十分にあり，私から見れば処置が「延命治療」には思えませんでした．「延命治療」という言葉には，しばしば「生命の延長以外の意味を見出すことが難しい治療」という価値判断が含まれます．そのため，ある治療を延命治療と呼ぶと「それをやめてもよい，やめるべき」という結論が導かれがちです．しかし，気をつけなければならないのは，事実に関する判断とは異なり，「延命治療」「無益」「終末期」など，価値を含む傾向のある言葉には，しばしば個人の価値観が入り込むということです．家族は，「自分たちが意味を見出せない」という理由で延命治療と呼んでいる可能性もあるのです．倫理コンサルテーションのさいには，価値を含んだこれらの言葉に関してもしっかり問い直すようにしましょう．

memo

2章 倫理コンサルテーションの設置

本章では，自分の施設に倫理コンサルテーションの仕組みを導入するさいに必要となる知識を説明します．一つ目は，倫理コンサルテーションの提供形態に関するモデルです．これは，倫理コンサルテーションをどのような形で提供するのかを考える上で大切な知識です．二つ目は，コンサルタントに必要な能力です．モデルに応じて，一人ひとりに求められる能力が異なるため，注意が必要です．三つ目は，具体的な導入のステップです．本書では，臨床倫理委員会のもとに倫理コンサルテーションチームを設置することを基本としますが，それ以外の組織に設置する場合にも対応できるようになっています．

1 コンサルテーションのモデル

倫理コンサルテーションを提供するモデルは，一般的に，個人，委員会，チームの三種類に分けられます[1]．それぞれのモデルにはメリットとデメリットがあるので，一つのモデルだけを採用するよりも，複数のモデルを併用することが望ましいでしょう．ただし，病院の状況によっては，特定のモデルしか採用できないかもしれません．そのような場合には，それぞれのモデルの特徴やメリット・デメリットをよく理解した上で，どのモデルを用いるのがよいのかを考えましょう．

① 個人コンサルテーションモデル

個人で依頼事案に対応するモデルです．このモデルは，十分な知識，スキル，態度を備えた個人が担当することを想定しています．そうした能力をすでにもっている人が院内にいる場合や，これからそのような人を雇うことができる病院には適しています．このモデルには，表１に示すようなメリット・デメリットがあります．

個人モデルのメリットを活かしつつ，できるだけデメリットを避けるには，このモデルを，緊急性のきわめて高い依頼や，依頼者が所属する医療・ケアチ

---

1 American Society for Bioethics and Humanities. *Core Competencies for Healthcare Ethics Consultation,* 2nd Edition. 2011, pp. 19-20 ; National Center for Ethics in Health Center. *Ethics Consultation Responding to Ethics Questions in Health Care,* 2nd Edition. 2015, pp.3-5.

表1　個人コンサルテーションモデル

メリット	デメリット
・導入までの手続きが簡素である（責任者が任命すればよい）. ・依頼がきたときにすぐに対応できる. ・活動の自由度が高い. ・依頼者に威圧感を与えずにすむ.	・単独で多様な相談事例に対応しなければならない. ・一人でさまざまな視点から事例を検討することが求められる. ・批判的な視点をとりにくく，主観的な意見に陥りやすい. ・孤立感を感じやすい. ・コンサルタントの専門性が，依頼者に影響を与える（例えば，医師がコンサルタントの場合，医師は相談しやすいが，看護師は相談しにくいかもしれない）.

ームの話し合いにコンサルタントが参加する場合（➡第3章-❻-②）に用いるのがよいでしょう.

個人モデルの担い手としては，臨床倫理委員会の委員として事例を検討してきた人など，経験豊富な人がよいでしょう．しかし，そうした人がいた場合でも，足りない能力や新しい知見に対しては，さらなる研鑽が必要な場合もあります．例えば，医師であれば，倫理学に関する知識，そうした知識にもとづき事例を分析したり，コンセンサスを形成したりするスキル，さらには関連する法律の知識が不十分かもしれません．また，法律家であれば，医師と同じく倫理に関する基本的な知識やスキルの点で十分とは言えないかもしれませんし，臨床的知識（例えば，カルテを読み解く力）を学ぶ必要があるかもしれません．不足している能力を身につける上では，現場での活動だけではなく，第5章で紹介する教育研修なども積極的に活用しましょう．また，一定の能力を身に付けた後も，コンサルタントの能力を高める努力をすることや，自らのコンサルテーションに関して，他の人と批判的に検討するミーティングを定期的にもつことが大切です.

② 委員会コンサルテーションモデル

このモデルでは，臨床倫理委員会のような委員会組織が，コンサルテーションを行います．個人モデルで前提とされる人材はもちろん，医療倫理に関する知識をもったスタッフがいない，もしくはそうしたスタッフを雇う余裕がない場合には，集団で検討するこのモデルが有効です．このモデルには，表2に示すようなメリット・デメリットがあります.

委員会モデルは，さまざまな視点からの議論を可能にします．社会的に大きな影響を与えうる事例を検討する場合には，このモデルが適しているでしょう（➡3章BOX3）．社会の縮図としての委員会において検討することで，社会的

表2　委員会コンサルテーションモデル

メリット	デメリット
・さまざまな視点から検討することができる． ・さまざまな依頼に対応できる． ・主観的な意見に流されずに議論することができる． ・委員会のメンバーに施設の運営に関わる人が含まれている場合，コンサルテーションの結論に重みが増す． ・個人やチームの場合のように，コンサルテーションの結果を委員会へ報告する手間が省ける．	・招集するのに時間がかかるため，緊急性のある依頼に対応できない． ・大人数で対応するため，依頼者にとって威圧的に感じられる． ・事例をよく知らない人が多く関わるため，現場の感覚と乖離した議論になる可能性がある．

にどのような反応が生じるのか，そうした反応に対してどのように対応すればよいのかなどを，事前に検討することができます．反対にこのモデルは，迅速な対応を必要とする事例には不向きです．こうした事例にも委員会で対応しなければならない場合には，委員会の規模を小さくしたり，専属の事務スタッフを配置し，開催の調整を迅速に行うなど，機動性を高める工夫が求められます．

委員会モデルの場合，個人モデルとは異なり，コンサルテーションに必要な能力を，委員の間で分散させることができます．例えば，医療福祉系の専門職（医師，看護師，社会福祉士など）が倫理や法律の知識をもっていなくても，法律や倫理の専門家が入ることで，委員会全体として必要な知識をもつことができます（表3）．しかし，委員会が実際に機能するためには，委員全員がもたなければならない能力もあります．一つは，自分が精通している分野以外の領域に関する最低限の知識です．発言がなされるたびに他の委員の理解を確認しなければならない委員会は，有効に機能しません．もう一つは，多様なメンバーの議論から結論を導くためのコミュニケーションスキルや態度です．自らの専門領域に関する知識は豊富であっても，コミュニケーション能力に欠けていては十分な役割は果たせません．委員会でコンサルテーションを行うときには，これらのことに気をつけましょう．

表3　臨床倫理委員会のメンバー構成

医師	○	事務スタッフ	○
看護師	○	一般の人	△
社会福祉士	○	院外の人	△
法律家	△	男女	○
哲学・倫理学者	△		

○＝必要
△＝いることが望ましい

③チームコンサルテーションモデル

このモデルでは，少人数からなり，委員会と比べて機動性のある組織が，コンサルテーションを行います．医療倫理に関して基礎的な知識をもっているスタッフが複数人いれば，チームモデルを採用することができます．このモデルは，個人モデルほどの機動性はありませんが，複数人で構成されるため，多様な視点で事例を検討できます．また，委員会モデルほどの多様性はもたないものの，機動性に関しては委員会を上回っています．つまりチームモデルは，委員会モデルのメリットと個人モデルのメリットを一定程度あわせもった形態と言えます．

チームは，2名から5名で構成し，多職種，男女両性を含むのがよいでしょう．チームを構成する職種に関しては，倫理コンサルテーションが院内で広く受け入れられるまでの間は，コンサルテーションチームに医師を加えたほうがよいでしょう．チームに医師が含まれていれば，依頼事例について主治医や診療科長から情報を得るさい，相手の受け入れも，提供される情報の理解も，スムーズだからです．しかし，コンサルタントの医師は，医師以外の関係者に威圧的な印象を与えるかもしれません．看護師をメンバーに加えることは，そうした状況を回避する上で有効です．また，依頼事案に適したチームで対応できるように，メンバーは柔軟に変更できるようにしておくとよいでしょう．こう

表4　コンサルタントとしてプールするメンバー

チームの上位組織（倫理委員会など）のメンバー	○	医療倫理に関する基礎的知識を備えており，診療科と良好なコミュニケーションをとれることが望ましい．
医師	○	医療倫理に関する基礎的知識をもっていることが望ましい．
看護師	○	横断型支援に長け，医療倫理の基礎知識を備えた看護職が望ましい（専門看護師，認定看護師など）．
社会福祉士	○	医療倫理に関する基礎知識をもっていることが望ましい．
法律家	△	医学・医療に関する基礎知識をもっていることが望ましい．施設の顧問弁護士は，立場上，患者を中心としたコンサルテーションにそぐわない可能性があるので注意が必要である．
哲学・倫理学者	△	医学・医療に関する基礎知識をもっていることが望ましい．
事務スタッフ	△	患者や家族の意見の背景を考えることができる人，チームメンバーに対して自分の意見を述べられる人が望ましい．相談窓口の事務スタッフは，倫理問題が患者の苦情となって現れている可能性に留意する．また，病院医事課などの事務フタッフは，患者やその家族の経済状態や，事務窓口での態度などに引きずられないように注意する．
男女	△	

○＝必要
△＝いることが望ましい

した柔軟性を確保するために，院内で倫理コンサルテーションを担う人たちをプールしておくことも一案です（表4）.

すでに述べたように，これらのモデルのうちどれか一つを採用するのではなく，それぞれのモデルのメリットを活かせるように，併用するのが望ましいでしょう．本書ではこうした併用を，ハイブリッド・モデルと呼ぶことにします．その一例は，臨床の問題を専門に扱う委員会を設置し，その下部組織として，倫理コンサルテーションチームを設置するというものです．個人でも依頼に対応することができ，医療スタッフとのコミュニケーションを円滑に取れる人をチームのリーダーに配置できれば，緊急性がきわめて高いものはリーダーが担当し（個人モデル），社会的な影響が大きいと考えられる問題についての依頼は委員会が扱い（委員会モデル），それ以外の依頼についてはチームで扱うという体制を作ることができます．ただし，一人で依頼に対応できるほどの能力をもったコンサルタントが少ない現状では，最初から三モデルの併用は難しいと思われます．倫理コンサルテーションを立ち上げる時点では，チームモデルと委員会モデルの併用が現実的です.

なお，委員会付属のチームとしてコンサルテーションを行う場合には，両者のメンバーを一部重複させましょう．こうすることで，両者の連携がスムーズに行われます．ただし，両者に関わるメンバーは，臨床倫理委員会と倫理コンサルテーションチーム両者の活動に対応できる能力を有している必要があります.

2 倫理コンサルタントとして必要な知識・スキル・態度

倫理コンサルタントに必要な中心的能力（Core Competencies）は，一般的に，知識，スキル，態度に区分されます[2]．この区分は，倫理コンサルタントに特有なものではなく，医療・ケアの専門職に関しても広くあてはまります．医師を例にするなら，優れた医師は，医学的・科学的な知識を身につけている必要がありますし，その知識を活用して診断を下したり，手術を行ったりするスキルも備えているでしょう．さらに，いまもっている知識・スキルを向上させようとする態度や，それらを他の医療・ケア従事者に理解してもらおうとする態度も，優れた医師には求められます.

ここでは，倫理コンサルテーションを行うために必要とされる能力を，医療・

2 American Society for Bioethics and Humanities. *Core Competencies for Healthcare Ethics Consultation,* 2nd Edition. 2011, p.22 ; Larcher V,et al. Core competencies for Clinical Ethics Committees. Clin Med (Lond). 2010 ; 10 (1): 30-33.

ケア従事者に必要とされる能力と共通する部分を意識しながら，説明していきます．こうすることで，倫理コンサルテーションをはじめる時点で，すべての能力を一から身につける必要はないことが明らかになるはずです．なお，先に述べたどのモデルの場合でも，基本的に必要とされる能力は同じです．しかし，チームモデルや委員会モデルであれば，メンバー相互で足りない能力を補い合うことができます．

① 知識

アメリカ生命倫理人文学会では，倫理コンサルテーションのための中心的知識として，9つの領域を挙げています[3]．それらを多少意訳して列挙すると次のようになります．

1. 倫理的に筋道を立てて考えるための知識
2. 生命倫理についての基本的な知識
3. 医療介護の制度
4. 患者の病歴を読み解くのに必要な医療・ケアの知識
5. コンサルテーションの場となっている施設についての知識
6. その施設の方針
7. その施設の患者やスタッフの信念や考え方
8. 関連するガイドラインや指針
9. 関連する法令

本書ではこれらの知識を，①ガイドラインや法令を含む倫理についての知識（1, 2, 8, 9），②医療・ケアについての知識（3, 4），③自施設の特徴についての知識（5, 6, 7）にまとめます．

コンサルテーションを始める時点で，これらすべての知識が必要とされるなら，倫理コンサルテーションを始めることなどできないと思う人もいるかもしれません．しかし，これから自分の病院で倫理コンサルテーションを始めてみようと思っている医療・ケア専門職であれば，②医療・ケアについて知識と，③自施設の特徴についての知識はすでにもっているはずです．さらに，現在では，①の知識のうち，基本的な事項に関しては，医学部や看護学部のコアカリキュラムにおいて，学ぶことになっています．例えば，『看護学士課程教育におけるコアコンピテンシーと卒業時到達目標』では，「人間の尊厳と権利の擁護，プライバシーへの配慮，個人情報の保護，守秘義務，看護実践に関わる倫理の

3 American Society for Bioethics and Humanities. *Core Competencies for Healthcare Ethics Consultation*, 2nd Edition. 2011, pp. 26-27.

原則，看護職の倫理規定等，看護者の責務と役割を意識した看護の方法」[4] を学ぶことが，また，『医学教育モデル・コア・カリキュラム』では，「生と死に関わる倫理的問題の概要を理解している」こと，「多様な価値観を理解して，多職種と連携し，自己決定権を含む患者の権利を尊重する」こと，「診療現場における倫理的問題について，倫理学の考え方に依拠し，分析した上で，自身の考えを述べることができる」ことが，求められています[5]．したがって，コンサルテーションの開始にあたっては，①の知識に関して自分が知っていることを確認し，足りないことがあれば学ぶとよいでしょう．

ただし，いま臨床の第一線で働いている医療・ケア従事者が学部教育を受けた頃には，医療倫理について十分な知識を得る機会がなかったという人が多いかもしれません．そのような場合には，医療倫理についての教科書（➡第７章-3）で学習したり，短期集中プログラム（➡第５章-❷-③）に参加するとよいでしょう．もちろん，教科書や短期集中プログラムで学ぶ場合にも，すべてを暗記する必要はありません．一通り学んだ上で，実際に問題が生じた場合，どこを調べればよいのかをしっかり理解しておけば十分です．ただし，コンサルテーションを行うためには，教科書やプログラムで学んだ知識に加え，自分の病院に特有な倫理的問題に関する知識や，社会の変化に伴い改訂されたガイドラインの知識が必要となります．これらの情報にも，常にアンテナを張っておきましょう．

ちなみに，外部の倫理学や法律の専門家が倫理コンサルタントになる場合には，特に②医療・ケアに関する知識を身につけることが大切です．もちろん，医療の専門家レベルの知識は不要ですが，診療録や看護記録から医療情報を読み取ることができる用語の知識，義務教育レベルの人体についての知識，自らが関与する事例の疾患について普通の患者であれば理解できる範囲の知識はあった方がよいでしょう．医学系の重要論文は，PubMed や医学中央雑誌で検索できますので，これらの使用方法を知っておくことも有益です．

② スキル

通常，コンサルタントに求められるスキルは，倫理的スキル，対人関係スキル，プロセス的スキルに分類されます．以下，この順番で説明します．

▶倫理的スキル

倫理的スキルは，以下の三つに分けられます．

---

4 一般社団法人日本看護系大学協議会．看護学士課程教育におけるコアコンピテンシーと卒業時到達目標．2018，p.19．

5 モデル・コア・カリキュラム改訂に関する連絡調整委員会．医学教育モデル・コア・カリキュラム．2022，p.21．

① 事例を検討する上で必要な情報を収集するスキル
② 倫理的知識を踏まえて事例を評価するスキル
③ ②の評価や法的な知識を踏まえ，最終的な結論を導くスキル

ここでは，「患者に病名を伝えることを患者家族が頑なに拒んでいて困っている」という依頼を例に，これらのスキルを解説します．コンサルタントは，最初に，①のスキルを用いて，なぜ家族が情報提供を拒むのかを尋ねるでしょう．その理由が，「患者がショックを受ける」というものであれば，提供される情報の内容や，患者自身の性格や価値観を確認しようとするはずです．続いてコンサルタントは，②のスキルを用い，収集した情報を倫理的知識（例えば4原則）の観点から評価するでしょう．善行原則や無危害原則を踏まえ，伝える場合の利益と不利益や，伝えない場合の利益と不利益を比較し，伝えない場合の利益が，伝える場合の利益や，自律尊重原則を上回るものであるのかを検討するはずです．こうした作業を通じて結論を出すのが，③のスキルです．ここでは，倫理的知識に加え，法令やガイドラインなどの知識も重要になります．先ほどの事例であれば，厚生労働省から出されている「「医療・介護関係事業者における個人情報の適切な取扱いのためのガイダンス」に関するQ & A(事例集)」[6]が参考になるでしょう．（実際の検討において，常にこの順番通りに検討が進むわけではありません）．

この事例からも明らかなように，倫理的スキルは，コンサルタントだけではなく，医療・ケア従事者にも求められるものです．例えば，認知症が進行した人に対して，侵襲的な医療を行うかどうかを決めなければならない場合には，善行原則と無危害原則にもとづく評価をすることが必要になります．そのさいには，家族が代諾者として適切であるかどうかを，自律尊重原則の観点から検討する必要もあるでしょう[7]．倫理コンサルテーションを通じて，参加者に倫理的スキルを身につけてもらうことができれば，日常臨床の質の向上にもつながるのです．

もちろん，倫理コンサルタントに求められる倫理的スキルは，医療・ケア従事者に求められるものよりも高くなります．なぜなら倫理コンサルタントは，医療・ケア従事者では対応が困難な問題にも取り組まなければならないからです．しかし，より高いスキルが必要であるとしても，倫理コンサルテーションを始める時点において，そうしたスキルを身につけている必要はありません．困難な倫理的課題をどのように分析し，どのように結論を導けばよいのかは，

---

6 この事例集では，各論Q4-2において，「傷病の種類によっては，本人に病名等を告知する前に家族に相談する場合が考えられますが、どのような配慮が必要ですか」という問いが扱われています．

7 代諾者に関する基本的な考え方については，『ケースブック』第5章「代諾者」の項目を参照してください．

次章で解説します．そうしたステップを繰り返し踏む中で，少しずつスキルを自らのものとしましょう．

▶対人関係スキル

倫理コンサルタントには，医療・ケア従事者と良好な関係を構築するスキルが求められますが，この点でも，優れた専門家であることと，優れた倫理コンサルタントであることは，密接に結びついています．というのも，チーム医療が定着した今日，医療・ケア従事者には，他のスタッフと協力関係を構築することが求められているからです．実際，『医師の職業倫理指針』では，多職種の人々の「立場と意見を尊重しながら出される意見を真摯に受け止め相互協力を進めるべき」[8] とされ，『看護職の倫理綱領』では，「多職種での協働においては，看護職同士や保健・医療・福祉の関係者が相互理解を深めることを基盤とし，各々が能力を最大限に発揮しながら，より質の高い保健・医療・福祉の提供を目指す」[9] とされています．

しかし，対人関係スキルの中には，倫理コンサルタントに特有なものも含まれます．一つ目は，コンサルタントという立場に関係したスキルです．コンサルタントは，依頼を通じてチームに関わるため，新たに協働関係を構築する必要があります．しかも，コンサルタントに求められているのは，チームの一員として主体的に解決策を見つける役割ではなく，一歩引いた立場から議論を活性化する役割です．倫理コンサルテーションに疑念を抱くメンバーがいるかもしれない中で，メンバー同士とは異なる人間関係を築くためのスキルが求められます．二つ目は，倫理コンサルタントが倫理の専門家であることに関係したスキルです．すでに述べたように，倫理コンサルテーションには，スタッフに対する教育的側面も含まれています．倫理コンサルタントには，実際のコンサルテーションを通じて，教育的関係を構築する能力が求められます．

もちろん対人関係スキルに関しても，はじめからすべてを身につけている必要はありません．一つ目の点に関しては，特定の問題に関する対応の仕方を院内指針で定めておくことにより，コンサルタントへの負担を減らすことができます．二つ目の点に関しても，院内の倫理教育を充実させることにより，個別のコンサルテーションが担う教育的側面を軽減することができるでしょう．

▶プロセス的スキル

プロセス的スキルは，大きく二つに分類されます．一つ目は，個別の倫理コンサルテーションを円滑に進めるためのスキルであり，二つ目は，倫理コンサルテーションの仕組み全体を円滑に運営するためのスキルです．ここでは，前者に焦点を当てます．

8　日本医師会．医師の職業倫理指針 第3版．2016，p.43.
9　日本看護協会．看護職の倫理綱領．2021，条文9.

倫理コンサルテーションは，依頼を受けたあと，表5に示したステップを踏んで行われます（➡第3章）．プロセス的スキルとして求められるのは，これら各ステップをスムーズに進める能力です．プロセス的スキルは，倫理コンサルテーションに特有のものです．そのため，倫理的スキルや対人関係スキルとは異なり，このスキルについては，医療・ケア従事者に求められる基本的な能力との結びつきを見つけることは容易ではありません．本書では，こうしたスキルを身につけられるように，➡第3章において，コンサルテーションのステップを詳細に説明しています．また，➡第5章では，倫理コンサルテーションの教育を提供している組織の情報も掲載しました．こうした教育の場を利用しながら，自らもコンサルテーションを実践する中で，少しずつプロセス的スキルを身につけていきましょう．

表5　倫理コンサルテーション実施のステップ

ステップ	求められるスキル
① 依頼の振り分け	・内容に応じて，より適切な部署へ依頼を振り分けることができる． ・個人，チーム，委員会，どの形で対応するのがよいのかを決定できる．
②依頼直後の情報収集，コンサルテーション・ミーティング開催の判断	・事例を倫理的問題として把握した上で，分析に必要な情報を収集できる． ・集めた情報にもとづき，コンサルテーション・ミーティング（以下，ミーティング）を開催することが適切かどうかを判断できる．
③ミーティングの準備	・ミーティングに参加するメンバーを決定できる． ・関係者とミーティングへ参加する意義を共有できる．
④ミーティングの開催	・効果的にミーティングを始めることができる（例えば，メンバーを紹介する，参加者の役割と希望を明確にする，ミーティング全体の目的を明確にすることなど）． ・目的を達成できるように，ミーティングを円滑に進めることができる． ・参加者の対話を促進することができる． ・ミーティングがさらに必要かどうかを見分けることができる．
⑤検討結果の伝達	・コンサルテーションの結果を文章にまとめ，依頼者に結果を簡潔に伝えることができる．

③ 態度や姿勢

倫理コンサルテーションに参加する人の中には，自らの懸念を口にすることがうまくできない人や，自分の態度にまったく疑問を抱いていない人もいます．そうした状況においても対話を活性化し，解決策を見出すために，倫理コンサルタントには一定の態度を身につけることが求められます．

▶寛容な心

倫理コンサルテーションの場でうまく発言できない人の中には，自分の考えや判断が倫理コンサルタントに非難されるのではないかと心配している人もいるでしょう．患者にとっての最善，病院経営のこと，科学的な正当性など，それぞれの人が大切にしているものを尊重し，対応する態度が必要です．確かに，コンサルテーション・ミーティングでは，参加者の考え方を批判的に吟味しなければならない場合もあります．しかし，そうした場合でも，当事者の考えや判断を頭から否定することはせず，率直に話をできる雰囲気を整えるようにしましょう．

▶真摯な対応

医療・ケア従事者の中には，自分の判断や価値観にまったく迷いがなく，倫理コンサルタントの意見に真っ向から反対したり，無視したりする人もいるでしょう．時には感情的に反発する人に遭遇することもあるかもしれません．そのような場合でも，頭ごなしに論破を試みたり，挑発的に対応するのではなく，真摯に傾聴することが大切です．さらに，どうしてその人がそのように考えているのかを，倫理コンサルタントなりに理解するよう努めるべきです．事実の誤認や間違った認識がある場合には，丁寧に説明することが求められます．

▶毅然とした態度

寛容な心で接して，真摯に向き合っても，倫理コンサルタントとして，医療・ケア従事者の判断を受け入れられない場合もあるでしょう．とくに，その判断にもとづく行動が，患者に危害を及ぼす恐れがある場合や，法令，ガイドライン，院内指針などから明白に逸脱すると考えられる場合などには，毅然と対処する必要があります．例えば，倫理コンサルタントのアドバイスにもかかわらず，積極的安楽死を行おうとしている医師がいた場合には，その医師がどれだけその行為の正しさに確信をもっていたとしても，その医師の上司や患者安全（医療安全）部門などに直ちに連絡し，中止させなければなりません．毅然とした態度が求められるのは，対決するような場面だけではありません．依頼者が，倫理コンサルテーションの結果にもとづき対応するのをためらっている場合には，コンサルタントが勇気づけて行動を促すことが必要なこともあります．

▶謙虚な姿勢

倫理コンサルタントが医療・ケアの専門職であっても，倫理コンサルテーションを依頼された領域について十分な知識や経験がない場合もあります．また，倫理学や法学がバックグラウンドの倫理コンサルタントであっても，依頼者の方が当該領域の倫理的・法的問題に詳しいこともあります．したがって，どんなに自分の知識やスキルに自信があったとしても，謙虚に依頼者の話を聞き，わかることとわからないことの峻別をする必要があります．また，独善に陥らないように，日頃から倫理コンサルテーションに必要な知識のアップデートに努めたり，同じ分野の人たちと切磋琢磨することも大切です．

3 導入に必要な環境

① 病院の責任者による支援

病院に倫理コンサルテーションを導入し，しっかりと機能させるためには，責任者による支援が必要不可欠です．というのも，②以降で述べる環境が整備されるかどうかは，責任者がどの程度この活動に理解を示しているのかによるからです．

しかし，臨床現場のスタッフが導入について相談しても，責任者が理解を示さないこともあるでしょう．そのときには，倫理コンサルテーションが，経営の点でプラスであると強調することにより，責任者の理解を促すことができます．例えば，病院が日本医療機能評価機構の認定を受ける予定であるなら，倫理コンサルテーションが認定にとってプラスであることを指摘できるでしょう（➡第１章 BOX2）．ただし，責任者には，よりよい医療・ケアの提供という最終的な目標も理解してもらう必要があります．さもないと，不十分な支援しか受けられず，結果として倫理コンサルテーションに対してスタッフが失望することも考えられます．

こうした働きかけによっても責任者が理解を示さない場合には，例えば倫理カフェのような形で，過去に院内で起きたケースについて，参加者同士で自由に議論できる場を作ってみるのもよいでしょう．そこでの議論を責任者に伝えることにより，倫理的問題の解決が重要であることを認識してもらえるかもしれません．可能であれば，議論の場に直接参加してもらいましょう．こうした場は，導入のきっかけとしてだけではなく，正式な導入が決まったあとでも，さまざまな形で倫理コンサルテーションの発展に寄与します．

倫理コンサルテーション反対論[10]

倫理コンサルテーションの導入に対しては，さまざまな反対が起こりえます．ここでは，主な反対と，それに対する回答を列挙します．

1. そんなことしている時間なんてない！

➡ 倫理コンサルテーションを導入したり，機能させたりするのに時間がかかるのは間違いありません．しかし，「時間がない」という批判の背景には，しばしば「時間をかけるほどの価値はない」という考えが潜んでいます．ですから，

---

10 ここで挙げた反対とそれに対する回答については，以下の論考と日本の現状を踏まえて作成しました．Vollmann J. Implementation Process of Clinical Ethics Consultation：Concepts, Resistance, Recommendations. Schildman/Gordon（ed.）, *Clinical Ethics Consultation：Theories and Methods, Implementation, Evaluation.* Ashgate Publishing；2010, pp.91-106.

こうした批判を提示する人には，倫理の重要性をまず理解してもらう必要があります．同時に，コンサルテーションが，倫理的問題解決の支援を通じて，最終的に時間の節約に寄与する可能性があることも指摘できるでしょう．

2. 医療・ケアチームと患者の関係に口出しをするのか！

➡ 倫理コンサルテーションの対象になるのは，病院で提供される医療・ケアのごく一部にすぎませんし，対象になったとしても，コンサルタントは医療・ケアチームに代わって判断するようなことはありません．実際にコンサルタントが行うことは，問題解決をサポートすることであり，医療・ケアの最終的な決定権と，それにともなう責任は，依然として医療・ケアチームにあります．

3. これ以上，事務仕事を増やさないでくれ！

➡ 倫理コンサルテーションの導入は，ミーティングの日程調整や，実施記録の作成などの事務仕事を生み出します．しかし，倫理コンサルテーションに関連する業務全体の中で，事務仕事が占める割合は決して大きくありません．活動の中心は，あくまでも，倫理的問題の解決にあります．それでも負担に感じる場合には，病院の責任者に，専属の事務スタッフを置いてもらえないか交渉しましょう．

4. どうせ上が望んでいることなのだろう！

➡ 倫理コンサルテーションが機能するためには，責任者による支援とともに，スタッフがこの仕組みを信頼し，受け入れる必要があります．倫理コンサルテーションの導入モデルには，責任者主導によるトップ・ダウン型と，スタッフ主導によるボトム・アップ型の二つがありますが，いずれのモデルを採用するにしても，「トップ」と「ボトム」両者の協力が必要不可欠です．しかしこうした批判が生じる場合，両者の間に深刻なギャップが存在するのかもしれません．あらためて，倫理コンサルテーションの目的が倫理的問題に直面した人たちの支援であることを確認しましょう．

5. 倫理コンサルテーションチームが独断的に振る舞うのではないか？

➡ 病院の責任者の中には，倫理コンサルテーションチームが，社会的にリスクの高い判断を勝手に行うのではないかと不安に思う人もいるかもしれません．医療・ケアチームや倫理コンサルテーションチームにとっては妥当かつ適切な結論も，責任者にとっては容認しがたいこともあるでしょう．このような不安を取り除くためには，生命維持治療の中止など，責任者が懸念を抱くような案件に関しては，執行部のメンバーを含む臨床倫理委員会が関与することを，院内指針で定めておくとよいでしょう．また，規模があまり大きくない病院であれば，副病院長など執行部のメンバーがコンサルテーションチームに加わることも考えられます．

② 組織内における位置づけ

倫理コンサルテーションの仕組みは，院内で生じるさまざまな倫理的問題に対応するために，院内外の人や組織と連携する必要があります．例えば，「これ以上の治療はできないと医者に言われた」という患者相談窓口への訴えは，重大な倫理的問題を含んでいるかもしれません．また，医療事故の結果，蘇生後脳症に陥ってしまった患者に，生命維持治療を行うかどうかを検討する場合，コンサルタントは，患者安全（医療安全）部門の意見も聞く必要があるでしょう．さらに，医療ネグレクトが疑われる事例に適切に対応するためには、児童相談所との連携が必要になる場合も考えられます[11]．

このような連携がスムーズに行われるためには，倫理コンサルテーションが，スタッフの個人的な活動ではなく，責任者の承認を受けた正式な仕組みであることが大切です．本書ではそうした仕組みとして，臨床倫理委員会およびその下部チームを念頭に置いていますが，それ以外の部署が，承認を受けたコンサルテーションの提供主体として活動することも可能です（BOX2）．

なお，連携が機能するためには，コンサルタントが連携先の人や組織について十分に理解するとともに，連携先にも，倫理コンサルテーションの目的や役割を知ってもらう必要があります．連携先のスタッフに，先ほど述べた「自由に議論できる場」（➲本章❸-①）へ参加してもらうことは，そうした理解を得る上で有効でしょう．

組織における倫理コンサルテーションの位置づけ

臨床倫理委員会以外にも，いくつかの組織が倫理コンサルテーションの提供主体となりえます．病院に臨床倫理委員会があるにもかかわらず，別の組織が倫理コンサルテーションを提供する場合には，臨床倫理委員会との関係について（どのような事例を臨床倫理委員会で議論するのか，個別の倫理コンサルテーションの内容について臨床倫理委員会に報告するのかなど）あらかじめ規定しておくことが望ましいでしょう．

① 倫理委員会の下部組織

臨床倫理委員会があれば，その下部組織として，倫理コンサルテーションチームを設置するのがよいでしょう．病院の規模があまり大きくなければ，臨床倫理委員会自体がコンサルテーションの提供主体となることも考えられます．

研究倫理委員会や，研究・臨床の両方を扱う倫理委員会のみが設置されているのであれば，その委員会の下部組織として倫理コンサルテーションチームを設置

---

11 医療ネグレクトに関する院外組織との連携に関しては，『ケースブック』第6章を参照してください．

するのが現実的です．チームが発展的に独立し，臨床倫理委員会になることも考えられます．

② 独立した中央診療支援部門

大学病院の中には，中央臨床倫理部など，倫理支援を専門に行う部門を設置しているところもあります．病院に専門の部署を設置できれば，担当するスタッフが倫理支援に専念できるという大きなメリットがあります．しかし，臨床倫理に専従できるスタッフの稀少性と人件費を考えると，小規模な病院では困難かもしれません．

③ 患者安全（医療安全）や患者相談部門の一部あるいは併設

患者安全（医療安全）部門には，医学的あるいは社会的なリスクの高い事例の情報が多く集まっていますので，倫理コンサルテーションのニーズを把握することは容易かもしれません．また，患者相談部門は，患者やその家族などからの相談や苦情が寄せられますので，特に患者・家族側からのニーズに応えやすいでしょう．ただし，これらの部門は，部門本来の目的を追求した結果，倫理コンサルテーションと対立する可能性もあります．例えば，倫理コンサルテーションの任務からは「自律尊重原則」や「善行原則」を優先するべきであると考えられる事例に関して，もし患者安全（医療安全）部門がことさらに「無危害原則」を最優先で考えるなら、両者の立場は対立することになるでしょう．

③ 倫理コンサルタントに対するサポート

倫理的問題を解決するためには,時間を必要とします．事案が複雑であれば,数週間かかることもあります．専任の倫理コンサルタントであれば，こうした事案にも対応できるだけの時間をもてるかもしれません.しかし日本において,専任の倫理コンサルタントを雇用する余裕がある病院はまれです．現実には,多くのコンサルタントが，本来の所属部署をもっています．つまり日本の倫理コンサルタントは，基本的に兼任コンサルタントなのです.

兼任コンサルタントが複雑な依頼に対応するには，元々所属している部署や病院全体から支援を受ける必要があります.所属部署からのサポートとしては,仕事量を減らす，専従日を認める，研修やセミナーへ参加できるようにシフトを工夫するといったことが挙げられます．他方，病院には，コンサルタントを兼務しているスタッフが退職したとき，一人ひとりのコンサルタントに過剰な負担がかからないよう，一定数のコンサルタントを確保しておくことが求められます.さまざまな事例に対応できるようにコンサルタントをプールできれば,負担の集中を避けることができるでしょう（表 4)．プールが難しいようであれば，各部署から一定数を選出するような仕組みも考えられます．出席を義務づけなければ，部署の負担感も大きくはないでしょう．ただし，こうした仕組みでは，コンサルテーションを理解していなかったり，関心が低かったりするメンバーが選出される可能性もあるため，コンサルタントに対する教育をしっかりと行う必要があります．

④ さまざまなリソース

倫理コンサルテーションの仕組みが十分に機能するためには，コンサルタントが院内外のさまざまなリソースを利用できるようにする必要がありますし，そうしたリソースを利用するための予算をもつ必要があります．以下，最低限必要とされるリソースを表にまとめます（表6）．

表6　コンサルタントに必要なリソース

カルテへのアクセス	コンサルテーションを行うために，情報は必要不可欠です．そのため，第3章で説明するコンサルテーションプロセスの一部には，情報収集が含まれています．そのさいコンサルタントがカルテにアクセスできれば，コンサルテーションを効率よく進められるとともに，大切な情報を見落としたまま結論を出すリスクを減らすことができます．カルテへのアクセスを保障する方法としては，電子カルテ自体へのアクセス権を認める方法の他に，依頼のあった患者のカルテを紙媒体で提供するといった方法も考えられます．
事務スタッフ	倫理コンサルテーションに付随する事務作業には，コンサルテーション・ミーティングを開催する場合の日程調整，コンサルテーション実施記録の作成・整理など，コンサルテーションに直接関係するものから，関連書籍の購入，教育を受けるための出張に関わる手続きなど，仕組みそのものを支えるための業務も含まれます．これらの作業を担当する事務スタッフを置くことができれば，コンサルタントはコンサルテーションに集中することができます．
文献資料	コンサルテーションを行うさいには，これまでの判例，関連する法律や専門職綱領などに関する知識が必要とされます．現在では，こうした知識をまとめた資料集やケースブックも出版されています（➡第7章-3）．こうした文献資料をすぐに利用できることは非常に重要です．
教育	コンサルタントには，専門的な態度・知識・スキルが必要です．これらの能力を修得しているコンサルタントがいない場合には，院外で集中講座などを受講する必要があります（➡第5章-2-③）．また，一度必要な能力を身につけたコンサルタントであっても，自らのコンサルテーションを振り返ったり，新たな情報を迅速に入手するために，継続的に教育を受ける必要があります．

4 導入の具体的なステップ[12]

それでは，倫理コンサルテーションの導入にあたり，具体的にどのようなステップを踏めばよいのでしょうか．ここでは4つのステップに分けて説明をします．本節の最後にフローチャートでも示していますので，参考にしてください（BOX4）．

① 責任者の理解とコーディネーターの任命

すでに述べたように，病院の正式な仕組みとして倫理コンサルテーションを導入するためには，責任者の理解が必要です．まずはこの点に関して確認をする必要があります．理解を示さない場合には，積極的に働きかける必要があります．➲本章❸-①で述べたように，スタッフ同士が倫理的な問題を自由に議論できる場は，責任者の理解を求める働きかけとして有効です．通常の病棟カンファレンスとは別の形で，いろいろな職場から多職種が参加できる形が望ましいでしょう．病院の規模が小さければ，こうした話し合いの場や多職種による倫理カンファレンスとは別に，倫理コンサルテーションの仕組みを作る必要はないかもしれません．ただ，ある程度の規模の病院で生じる倫理的問題の中には，病院としての判断が必要なものもあります．そうした状況に対応するためには正式なシステムが必要ですので，責任者の理解が得られるよう継続的に働きかけるようにしましょう．

責任者は，倫理コンサルテーションの導入を決めたのち，導入を主導するスタッフを任命します．本書では，そうしたスタッフをコーディネーターと呼びます．コーディネーターを担うのは，倫理に関して基本的な能力を備えるとともに，一定以上の職位があるスタッフが望ましいでしょう．院内で倫理的問題について話し合っている場があれば，そこで主導的な立場を担っている人がよいかもしれません．臨床倫理委員会がすでに設置されているなら，委員の中から適任者を選ぶことも考えられます．これらの方法では適任者を見つけられない場合には，院内で公募してもよいでしょう．公募のさいには，最低限，倫理コンサルテーション自体に関心をもち，学ぼうという姿勢をもっていることを条件としましょう．

責任者は，任命直後から，コーディネーターの活動を支援する必要があります．具体的には，コーディネーターの活動を業務時間として認めたり，業務を行うための専用の場所を用意したりすることが挙げられます．コーディネーターが倫理コンサルテーションに関して十分な能力をもっていない場合には，院外での教育研修費用を援助することも必要です．

② 倫理コンサルテーションの提供主体の確定

コーディネーターの最初の仕事は，院内のどの部署・組織がコンサルテーシ

---

12 このステップは，フォルマンによる導入のための6ステップを参考に，日本の現状も踏まえ，大幅な変更を加えたものです．Vollmann J. Implementation Process of Clinical Ethics Consultation: Concepts, Resistance, Recommendations. Schildman/Gordon (ed.), *Clinical Ethics Consultation: Theories and Methods, Implementation, Evaluation.* Ashgate Publishing；2010, pp.98-104.
また，国立がん研究センター中央病院臨床倫理支援室は，独自に「臨床倫理コンサルテーション・サービス開始のための10のステップ」を作成し，インターネット上で公開しています．
https://www.ncc.go.jp/jp/ncch/division/ethics/030/consultation_service.pdf

ョンを担うのかを確定することです．このとき最初に候補として挙げられるのが，臨床倫理委員会です．新たに臨床倫理委員会を設置する場合や，設置されている臨床倫理委員会が十分に機能していない場合には，提供主体とすることに不安を感じるかもしれません．しかし，臨床倫理委員会は，行なった倫理コンサルテーションを振り返って検討したり，病院内で情報を共有したりする場としても大切です．また，他の組織で倫理コンサルテーションを担う場合にも，病院として継続的にコンサルテーションの状況を評価し，臨床倫理委員会の設置について定期的に検討しましょう．

臨床倫理委員会が設置されておらず，人員の問題などで新たに設置することが困難なこともあるでしょう．もし，研究を審査するための倫理委員会（研究倫理委員会）が既に設置されているのであれば，研究倫理委員会を提供主体とすることも考えられます．「人を対象とする生命科学・医学系研究に関する倫理指針」では，このような委員会に，「倫理学・法律学の専門家等，人文・社会科学の有識者」，「一般の立場から意見を述べることのできる者」，「設置者の所属機関に所属しない者」の参加を求めており，このような構成はコンサルテーションにも有益かもしれません．ただし，提供主体とするためには，研究倫理委員会が，研究だけではなく，臨床上の倫理的問題にも対応できる必要があります．また，研究倫理委員会には独自の目的と業務があるため，提供主体とした場合でも，倫理コンサルテーションの実績などを見て，独立した臨床倫理委員会の設置を検討するようにしましょう．

臨床倫理委員会や研究倫理委員会が提供主体になる場合には，その委員会自身がすべての依頼を引き受けるのか（委員会モデルのみ），その下に新たにコンサルテーションチームを設置するのか（委員会モデルとチームモデルの併用）を決める必要があります．委員会の規模が比較的小さく機動性があり，メンバーがコンサルテーションに必要な能力をもっているのであれば，必要となる規則を整備した上で，委員会がそのままコンサルテーションを開始するのがよいでしょう．

この他，病院によっては，臨床倫理委員会や研究倫理委員会以外に，患者相談や患者安全（医療安全）などに関わる委員会や部署が，コンサルテーションを担当することが可能かもしれません（BOX2）．本書では，そのような場合であっても，病院に設置された倫理委員会と緊密に連携した体制とすることを推奨します．なぜなら，病院としての対応を求められる問題（たとえば，直ちに患者の死に至るような治療行為の中止や，宗教的理由により輸血に同意しない患者への対応）を倫理委員会において議論することを通じて，患者や病院が不利益を被るのを防いだり，倫理コンサルテーションを担うメンバーの負担を軽減したりできるからです．

最終的に，倫理コンサルテーションの提供主体となる組織が見つからない場合には，①で述べた，スタッフ同士が倫理的な問題を自由に議論できる場を設定し，病院にとってどのような形で倫理コンサルテーションを実施することが望ましいのかを話し合いましょう．

③ 倫理コンサルテーション導入のためのワーキンググループ

提供主体だけでコンサルテーションの体制を直ちに作れるのであれば，運営規則を整備後，コンサルテーションを開始します．それ以外の場合には，新たに倫理コンサルテーションを導入するためのワーキンググループを立ち上げます．コーディネーターは，ワーキンググループのメンバーを選出します．基本的には，診療部や看護部，社会福祉士の部門から選出された数名程度が，ワーキンググループのメンバーとしては適当でしょう．倫理委員会の委員など倫理コンサルテーションの提供主体の構成員を中心に人選を行うことが考えられますが，提供主体の構成員からだけでは適切な人選ができないかもしれません．そのさいには病院内のスタッフ全体から適任者を選任することになります．導入プロセスの透明性を確保するという観点からは，院内公募という方法も考えられます．病院には，臨床倫理の研修に参加するなどして，地道に臨床倫理を学んできたスタッフがいるかもしれません．また，広くメンバーを募ることにより，病院の特性に合った仕組みを作ることができます．倫理コンサルテーションが院内で速やかに受け入れられるように，人選には十分な配慮をしましょう．

ワーキンググループでは，自分の病院に適した倫理コンサルテーションの方法を明らかにし，それを実現するための運営規則を作成します．ただし，メンバーの知識が不足している場合や，メンバー相互の信頼関係が不十分である場合には，院内で実際に起きた事例やケースブックの事例を使って，模擬倫理コンサルテーションをすることから始めてみるのもよいでしょう．

コーディネーターは，最終的に運営規則（BOX3）を取り纏め，倫理コンサルテーションの提供主体（臨床倫理委員会，患者相談部門等）へ提出します．同時に，ワーキンググループのメンバーのうち，誰を倫理コンサルテーションチームのメンバーに任命するのか，ワーキンググループ以外からメンバーを募るのかなどを，提供主体の責任者と相談しましょう．倫理委員会の下部組織として倫理コンサルテーションを導入する場合でも，実質的な業務を既存の組織に委ねることも考えられます．例えば，倫理コンサルテーションの事務を患者安全（医療安全）部門が担い，患者安全（医療安全）部門から倫理コンサルタントを派遣することなどです．

倫理コンサルテーション運営規則に入れるべき項目

・運営の目的
・支援内容
・構成メンバー
・任期
・コンサルテーションの申請手続き
・守秘義務
・報告

＊規則のモデルは，本書巻末に収録しています．

④ 倫理コンサルテーションの開始

倫理コンサルテーションの仕組みが導入されたからといって，すぐに依頼が来るとは限りません．むしろ，コンサルテーションが機能するためには，倫理コンサルテーションチームからの積極的な周知活動が必要です．周知の方法としては，以下のようなものが考えられます（表 7）．

表 7　院内へ周知する方法

広報	院内のさまざまな会議や研修の場，院内のメーリングリスト，ニューズレター，掲示板などを使って，倫理コンサルテーションについて周知する．患者やその家族も依頼できる体制の場合には，患者向けパンフレットやホームページへの掲載も考えられる．
院内指針	生命維持治療の中止など，重大な結果につながりうる問題については，あらかじめ院内指針で倫理コンサルテーションを必須とする．
倫理ラウンド	倫理コンサルテーションチームが定期的に院内を周る．病棟カンファレンス，退院カンファレンス等に同席する．
各部署における事例検討	チームのメンバーが，自分の所属する部署において倫理に関する事例検討を行う．
倫理カフェ	倫理コンサルテーションチームの主催で，開かれた場において，院内で過去に生じたケースを議論する．

memo

倫理コンサルテーション導入のフローチャート

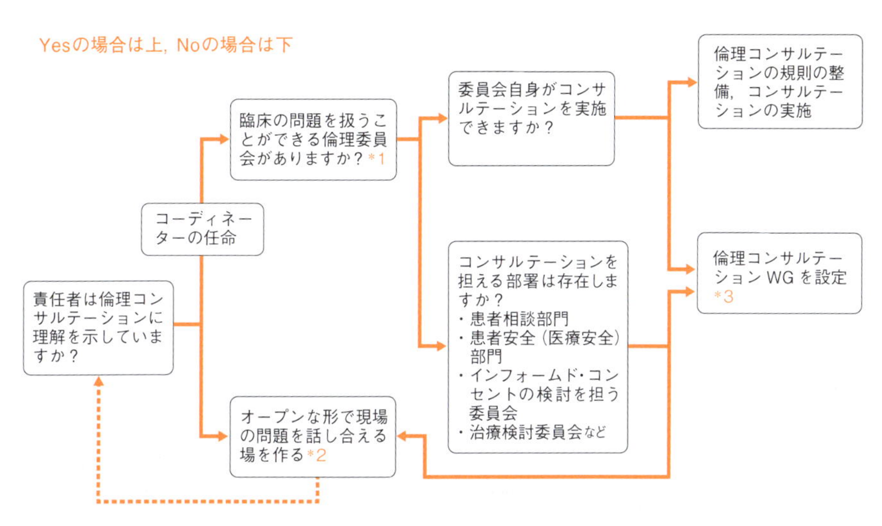

*1：臨床の問題を専門に扱う倫理委員会が望ましいですが，人員の問題などで困難であれば，研究倫理審査を主に扱う委員会が倫理コンサルテーションの母体となることも考えられます．ただし，その場合でも，倫理コンサルテーションの実績などを見て，独立した臨床倫理委員会の設置を検討するとよいでしょう．

*2：いろいろな職場から多職種が参加できる形が望ましいでしょう．

*3：倫理委員会の下部組織として倫理コンサルテーションを行う形式を採用する場合でも，実質的な業務を既存の組織に委ねることも考えられます．

2章 ここがポイント！

- 倫理コンサルテーションには，個人，委員会，チームによるモデルがあります．
- 事例ごとに，3モデルの中から最適な形式を選択して倫理コンサルテーションを行うのが理想的です（ハイブリッド・モデル）．
- 本書では，臨床倫理委員会の下部組織として倫理コンサルテーションチームを設置することを推奨します．
- 倫理コンサルタントに求められる能力は，医療・ケア従事者として求められる能力を土台に身につけることができます．
- 倫理コンサルテーションを始めるには，病院の責任者やスタッフの理解が必要です．自由に参加できる倫理カンファンレンスを開催するなど，理解を得るための取り組みをしましょう．
- 倫理コンサルテーションの導入は，コーディネーターを中心に進めましょう．

COLUMN

看護師の声を阻む壁？

倫理コンサルテーションの仕組みを導入しようという声は，ひょっとすると看護師から上がるかもしれません．というのも看護師は，患者・家族の近くで彼（女）らの真意を直に感じながら日々を過ごしており，「患者・家族にとっての最善」に対するアンテナが高いからです．つまり看護師は，臨床で生じる倫理的問題に関しては，医師よりも把握しやすい職種であると言えるのです．しかし，そうした声を上げたとしても，実際に仕組みを導入するには至らないかもしれません．というのも，病院を構成する診療科，部署，部門の責任者は多くが医師であり，病院自体の執行部もほとんどが医師だからです．看護師とは異なる形で患者・家族と接する医師には，看護師の訴えがうまく伝わらない可能性があります．そのようなときには，看護師だけで団結せず，理解があり，仲間になってくれそうな医師（可能であれば幹部）を探すとよいでしょう．医師の中にも，倫理的問題に日々悩み，何らかの解決策を模索している人はいるはずです．

memo

3章 倫理コンサルテーションの進め方

倫理コンサルテーションを設置した後には，いよいよ具体的な依頼に対応することになります．そこで本章では，倫理コンサルテーションを進めるさいのアプローチ方法を提示した上で，コンサルテーションを進める具体的なプロセスを説明します．日本では，委員会とチームのハイブリッドモデルが一般的なことから，このモデルを念頭に解説を行います．

1 倫理コンサルテーションのアプローチ

倫理コンサルテーションのさいのアプローチ方法に関しても，モデルと同じく複数の立場が示されてきました．ここでは，アメリカ生命倫理人文学会の報告書において提示されている，「権威主義的アプローチ」「合意追求型アプローチ」「倫理的対話促進アプローチ」という三つのアプローチを紹介します[1]．これらのアプローチは，モデルのように，場面によって使い分けるものではありません．報告書では，倫理的対話促進アプローチが望ましいものとして推奨されており，本書でもこのアプローチを採用します．ただし，他のアプローチとしてどのようなものがあり，どこに問題があるのかを知っておくことは，自分たちのコンサルテーションを見直すさいに役立ちます．そこでここでは，報告書に沿って，三つのアプローチを概観します．

① 権威主義的アプローチ

このアプローチの特徴は，コンサルタントを，倫理上の権威とみなす点にあります．つまりここでは，コンサルタントの見方が，他の関係者の見方よりも適切であると考えられているのです．それゆえ倫理コンサルタントの役割は，結論を出すプロセスを援助することではなく，医療・ケアチームに代わって結論を出すことにあります．しかし，医療において対話が重視されてきた背景には,「だれか一人が特権的に正しい答えを導ける」という考え方に対する批判があったことを忘れてはなりません．しかも，最終的な結論を出すのは，基本的

1 American Society for Bioethics and Humanities. *Core Competencies for Healthcare Ethics Consultation*, 2nd Edition. 2011, pp. 6-8.

に患者と医療・ケアチームであって，倫理コンサルタント自身ではないのです．倫理コンサルタントは，いつのまにか自分が権威として振る舞っていないか，気をつける必要があります．

② 合意追求型アプローチ

このアプローチにおけるコンサルタントの役割は，医療・ケアチームを含めた関係者が合意に到達するのを援助することにあります．そのため，到達した結論がどれほど倫理や法に反したものであっても，コンサルタントは一切介入しません．権威主義的アプローチにおいて，結論の適切さを保障するのはコンサルタントでしたが，このアプローチでは，コンサルタント以外の関係者ということになります．しかし，例えば，いま現在意向を表明できない患者が残した事前指示をまったく参照しない医療・ケアの方針は，どれほど医療・ケアチームと家族が合意したとしても認められないでしょう．というのも，そうした結論は，自律尊重原則という広く受け入れられた倫理原則を無視しているからです．話し合いは，社会に受け入れられた一定の倫理的・法的規範の内部で行われる必要があります．

③ 倫理的対話促進アプローチ

このアプローチは，上記二つのアプローチの視点を含んでいると言えます．すなわち，一方においてこのアプローチは，合意追求型アプローチと同じように，対話のプロセスを重視します．しかし倫理的対話促進アプローチで重視されるのは，対話をする人たちが，対話に参加しない人も含んだ，関係する人たちの価値やニーズを尊重することです．つまり，対話のプロセスの倫理性が求められるのです．他方でこのアプローチは，権威主義的アプローチと同じように，結論自体にも着目します．ただしコンサルタントは，自ら結論を出すのではなく，対話の結論が，社会で受け入れられている倫理的・法的な基準から逸脱しないように，支援をします．

本書では，このアプローチを採用します．コンサルタントの役割とは，倫理的結論を自ら出すことでも，合意に至ることだけを支援することでもなく，関係者が倫理的対話を通じて，倫理的・法的に妥当な結論を出せるように支援することなのです．第2章で説明した「コンサルタントとして必要な知識・スキル・態度」は，このアプローチを念頭に置いています．

2 依頼の受付

① 依頼者

倫理コンサルテーションは，基本的に，患者の医療・ケアに関わるすべての院内スタッフに開かれている必要があります．依頼にさいしては，主治医に許可を求める必要はありません．また，あくまでも院内での相談活動ですので，患者からのインフォームド・コンセントも不要と思われます．ただし，将来倫理コンサルテーションに保険点数がつくなどして患者の自己負担金が増えるようになった場合などには，インフォームド・コンセントを得ることが望ましくなるかもしれません．

なお，このシステムが生まれたアメリカでは，原則として，患者やその家族もコンサルテーションを依頼できます．しかし，ようやく倫理コンサルテーションが始まったばかりの日本では，専属のスタッフを置くのが難しい状況にあります．こうした中で門戸を広げることは，コンサルテーションチームに過大な負担をかけることになり，コンサルテーションの質を低下させるかもしれません．そこで本書では，最終的には患者や家族が依頼できる形を理想としながらも，サービスを始めるのに必須の条件とはしません．ただし，患者や家族が抱える問題を把握できるように，患者相談部門や退院支援室といった部署としっかりと連携しましょう．

② 受付時間

依頼の中には，通常の勤務時間外に，緊急の対応を必要とするものもあります．こうした問題に対応するには，深夜・休日を問わずに依頼できる体制が必要です．しかし，24 時間体制を導入できるかどうかは，病院がどの程度の人材を倫理コンサルテーションに割けるのかによります．兼任コンサルタントが一人しかいない病院でこの体制を整えた場合，コンサルタントに過剰な負担をかけることになります．病院の状況に応じて，柔軟に対応しましょう．

③ 依頼方法

依頼者に大きな負担をかけるような申込方法は，サービス利用の障害となります．倫理コンサルテーションの依頼を受け付けるさいには，提供してもらう情報を必要最低限のものにとどめましょう（BOX1）．また，申請文書作成の時間を惜しんで依頼をあきらめることがないように，電話や口頭で相談できるようにしておくことも大切です．専属の事務スタッフを配置できる場合には，電話・口頭での相談内容をふまえ，依頼書の作成を代行するとよいでしょう．コンサルテーションの体制整備のために相応の支出ができる病院であるなら，電子カルテを通じて依頼できるようにすることも考えられます．

依頼受付のさいに最低限必要な情報

1. 依頼者の氏名と所属
2. 当事者である患者の氏名
3. 依頼の理由
   - 院内指針にもとづく場合には，該当する指針名
   - 指針の規定とは関係なく，具体的に困っていることがあるのであれば，問題の概要
4. 依頼者の考える緊急度（その緊急度はコンサルタントが考える緊急度とは違うかもしれない）

＊依頼書のモデルは，本書巻末に掲載しています．

匿名の依頼

倫理コンサルテーションへの匿名の依頼は，二種類あります．一つ目は，コンサルタント自身は依頼者の名前を知っているものの，依頼者が関係者に名前を知られたくないと言っている場合であり，二つ目は，コンサルタント自身も依頼者の名前を知らない場合です．これら両者で問題になるのは，依頼者を含めた関係者による対話が困難であるため，コンサルテーションを十分に行えない可能性があるということです．もちろん依頼者が，自分が依頼者であることを隠した上で，話し合いの場に参加することはできます．ただ，この場合，自分が依頼者であることが知られないように，依頼者が発言を控えたり，思っていることとは違うことを口にしたりするかもしれません．さらに，コンサルタントも誰が依頼者なのか分からない場合には，依頼内容の聞き取りができなかったり，助言を依頼者に返すことができなかったりすることも考えられます．

しかし，匿名の依頼には，よい点もあります．というのも，匿名なら依頼をするという人もいるかもしれないからです．つまり，匿名での依頼を認めることは，依頼者の心理的負担を減らし，現場で生じている問題を少しでも多く拾い上げるための方法となりうるのです．ただし，匿名性によるコンサルテーションには，すでに述べたような制約もあるため，コンサルタントは，コンサルテーションを行う中で，実名にもとづくコンサルテーションへと移行できるように，働きかけましょう．

3 依頼の振り分け

依頼が来たあと最初にしなければならないのは，依頼の振り分けです．振り分けは，三段階からなり，基本的にコンサルテーションチームの責任者が行うのがよいでしょう．わかりやすい振り分けの基準を設けることが可能であれば，チームのメンバーが輪番で行うこともできるかもしれません．以下，それぞれの振り分けについて説明をします．

① 倫理コンサルテーションの対象になる依頼とそうではない依頼の振り分け

第一段階は，倫理コンサルテーションの対象になるものとそうではないものとの振り分けです．というのも，依頼の中には，他の部署の方が適切に扱えるものも含まれているからです（表1）．ただし，こうした依頼が来たときにも，一方的に拒絶するのでなく，他の部署とうまくつながるよう助言しましょう．こうした配慮が，気兼ねなく倫理コンサルテーションチームに相談できる土壌を育みます．

表1　倫理コンサルテーション以外の部門で扱うほうがよい問題

依頼の種類	具体的な依頼内容の例	担当部署
法的問題	医療・ケア従事者は，救急搬送された患者による危急時遺言の証人になることができるのだろうか[2]．	顧問弁護士
医学的問題	この患者の意思決定能力は回復するだろうか．	関連する診療科
心理学的・スピリチュアルなサポート	患者の妻に，夫の死が迫っていることをどのように話せばよいのだろうか．	緩和ケアチーム，臨床心理士，リエゾン看護師，臨床宗教師
患者からの苦情	病院のスタッフが話を聞いてくれない．	患者相談部門
不正の告発	経理の不正操作を行っているスタッフがいる．	公益通報窓口，管理部門
ハラスメントの相談	上司からの食事の誘いを断ったあと，主要な仕事から外される．	ハラスメント相談員
院内暴力	患者が看護師に怒鳴り，殴りかかろうとしている．	守衛室，保安部門

② 協議を必要とする依頼とそうではない依頼の振り分け

第二段階は，倫理コンサルテーションの対象となる依頼を，コンサルタント

2　危急時遺言とは，あらかじめ遺言書を作成していなかった人が，死の危険に直面したさいに作成する遺言書です．民法第976条1項では，こうした遺言が有効であるためには，証人三人以上の立ち会いが必要であると述べられています．

と依頼者とが問題の解決のために相談の場を設ける必要があるものと，そうではないものとに振り分ける作業です（相談の場を設けた上での対応を，本書では「協議」と呼びます）．依頼の中には，コンサルタントが依頼者に参照すべき病院内外のガイドラインを紹介することにより解決するものなど，協議を必要としないものも含まれています（ただし，そうした依頼でも，協議を行うものと同様，何らかの記録を保存するように心がけましょう）．

③ 三つのコンサルテーション・モデルへの振り分け

最後に，協議を必要とする依頼を，前章で挙げた，コンサルテーションの三つのモデル（個人，チーム，委員会）へ割り振ります．依頼が緊急の対応を要するものであり，チームを招集している時間をとれない場合には，個人モデルで対応することを基本とします．また，社会的・法的に大きな影響を与えるかもしれない依頼は委員会モデルで対応し（BOX3），それ以外のものはチームモデルで対応します．いずれのモデルを選ぶ場合でも，責任者は，依頼を担当するコンサルタントを任命します．

なお，チームモデル，個人モデルで対応する場合には，➲本章❻で説明しているとおり，どのような方法で協議を行うかを検討することとなります．

これらの振り分けを行う責任者は，必要な能力を身につけた，経験豊かなコンサルタントがよいでしょう．しかし，現在の日本において，そうしたコンサルタントがいる病院は決して多くありません．そこで，経験の浅いコンサルタントでも大きな誤りなく振り分けを行うことができるように，コンサルテーションでは，どのような問題を，どのような形で扱うのかを，あらかじめ院内指針で基準として定めておくのがよいでしょう．こうした体制は，病院のリスク管理の点からも大切です．ただし，現場で生じる倫理的問題は多種多様ですから，指針で定めた問題以外のものも扱える余地を残しておくようにします．また，一度行った振り分けを見直すことが必要になる場合もあります．例えば，チームに振り分けたにもかかわらず，結論がまとまらない場合には，委員会に委ねることが適切です．振り分けに関しても，柔軟性をもたせるようにしましょう．

臨床倫理委員会で扱うことが適切な問題の例

- 直ちに死につながるような生命維持治療の中止
- 未成年の患者による治療拒否
- 実験段階の医療の実施
- 小児の移植
- チームによるコンサルテーションで意見の一致がみられない問題
- ガイドラインで，委員会等での審議が求められる事項

1. 行政ガイドライン
   ①「臓器の移植に関する法律」の運用に関する指針
   ・脳死下の臓器提供（小児を含む）を行う場合
   ・親族関係を証明できない臓器レシピエントの親族から，移植用の生体臓器を摘出する場合
   ・非親族から，移植用の生体臓器を摘出する場合．
   ② 人生の最終段階における医療・ケアの決定プロセスに関するガイドライン（複数の専門家からなる話し合いの場）
   ・家族等の中で意見がまとまらないなど，妥当で適切な医療・ケアの内容について合意が得られない場合のみ
2. 学会ガイドライン
   ① 日本造血細胞移植学会「同種末梢血幹細胞移植のための健常人ドナーからの末梢血幹細胞動員・採取 第5版」
   ・適格性の基準に合わない血縁ドナー候補者から，移植用の造血細胞を採取する場合
   ② 日本小児血液・がん学会「健常小児ドナーからの造血幹細胞採取に関する倫理指針」
   ・15歳以下の小児が親への造血幹細胞移植ドナーとなる場合
   ③ 日本透析医学会「透析の開始と継続に関する意思決定プロセスについての提言」
   ・透析の見合わせに関して，患者，家族，医療チームの間で合意に至らない場合（ただし，医療・ケアチームによる代行も認められている）
   ④ 日本小児科学会「重篤な疾患をもつ子どもの医療をめぐる話し合いのガイドライン」
   ・治療の差し控えや中止を検討する場合（ただし，委員会以外の検討場所も認められている）
   ⑤ 日本医学会「医療における遺伝学的検査・診断に関するガイドライン」
   ・被検者の同意が得られない状況下で，血縁者の不利益を防止する観点から血縁者等への結果開示を考慮する場合

＊これらの問題は，他の委員会で扱われる場合もあります．

4 依頼直後の情報収集

① 早期の情報収集はなぜ重要なのか

依頼を振り分けたら，依頼者を含む関係者から情報を収集します．コンサルタント，依頼者，医療・ケアチームのメンバーが参加するミーティング（本書では，これを「コンサルテーション・ミーティング」と呼びます．そのため，コンサルタントと依頼者だけが話をする場合は，コンサルテーション・ミーティングに該当しません．）よりも前に情報を収集する理由は三つあります．

一つ目の理由は，この時点で収集された情報にもとづき，そもそもコンサルテーション・ミーティングを開催することが適切であるのかを判断するためです．情報収集の結果，医療・ケアチームの中に，倫理コンサルテーションに強い拒否反応を示しているメンバーがいることが明らかになった場合には，別の方法で支援する方が適切かもしれません．（詳細については，➡本章❺で説明します）．

二つ目の理由は，この時点で収集された情報にもとづき，いつコンサルテーション・ミーティングを開催するのかを判断するためです．例えば，依頼時の情報では1週間以内に開催すれば十分だと思われたものの，情報収集の結果，即座にミーティングを開催するべきであることが明らかになるかもしれません．

三つ目の理由は，コンサルテーション・ミーティングを開催することになった場合に，ミーティングに参加しない（あるいはできない）人の意見をあらかじめ集めておくことにより，ミーティングを有意義なものにするためです．ミーティングに参加できないスタッフや患者がもっている情報，さらには主診療科以外の担当医の見解を事前に集めておくことで，ミーティングを実りあるものにすることができます．

② 収集する必要のある情報

▶医学的情報

医学的情報が不確実であったり不正確であるために，倫理的な問題に見えることがしばしばあります．アルツハイマー型認知症とされていた人のケアの方針を本人の意向がわからない中で検討している場合を考えてみましょう．もしその認知症が，実は正常圧水頭症などの治療可能な疾患によるものであることが分かれば，治療後に本人の意思確認をすればよいことになります．このように，正確な医学的情報は，適切な倫理コンサルテーションを行う上で必須です．診療録をあたるだけでなく，必要に応じて，主治医や各科の担当医師の見解を尋ねたりして，患者の診断，病態，考えられる医療的な介入の選択肢，それらが成功する可能性や合併症・副作用のリスクなどをできるだけ集める必要があります．予後だけでなく，患者の生活の質がどう変化しうるのかという観点も大切です．

医学的情報を収集するさいには，医療・ケアチームが当該患者の状態について，的確に把握できる能力を有しているのかどうかを評価しなければならない場合もあります．ただし，医学的な情報が十分に得られないことや，医学的情報を補強するための追加検査が患者にとって最善とは思えないこともあります．死の時期が近いことが予測されているがん患者が，呼吸困難を起こした場面を考えましょう．主治医は肺血栓塞栓症の合併を疑い，造影CTによる精査を計画していますが，患者本人は検査を拒否しています．このような場合には，患者の予後も踏まえて，検査を行わずに抗凝固療法を開始する選択肢や，呼吸困難の緩和のみを行う選択肢が倫理的に適切であるかどうかを，倫理コンサルテーションを通じて検討する必要があります．

▶患者の意向

患者の意向について最も確実な情報源は患者本人です．患者に意思確認を行うのは，原則として患者を担当している医療・ケアチームですが，必要に応じて，倫理コンサルテーションチームが本人の意思を確認してもよいでしょう．その場合には，なぜコンサルテーションチームが話を聞くのかについて，事前に医療・ケアチームから十分に説明をしてもらうことが大切です．本人の意思を聞く場合には，たんにYes/Noを尋ねるのではなく，問題となっている医療・ケア行為についての知識や，患者の価値観や生活歴など，その人がそう考えるように至った背景についても情報を集めるとよいでしょう．なぜなら，医療・ケア行為そのものについて患者が誤解していたり，患者の価値観と矛盾した医療・ケア行為を選ぼうとしているかもしれないからです．

意思決定能力が低下しているために患者自身が決定できない場合には，事前指示(アドバンス・ディレクティブ)を残しているかどうかを確認しましょう．何らかの形で残されているなら，そこに示された意思が基本となります．ただし，事前指示は万能ではありませんし，多くの人はそもそも残していません．そこで，家族や近しい人たちに，問題となっている医療・ケア行為などに関して，患者が以前どのような意思をもっていたのかを尋ねることも大切になります．また，こうした確認作業と並行して，患者の意思を推定できる適切な代諾者の候補をリストアップしておくと，代諾者が必要な場合に役立ちます．そのさい注意する必要があるのは，生物学的あるいは法的な関係が近い(配偶者，親，子など）からといって，患者の意向を適切に代弁できるとは限らないということです．場合によっては，血のつながった家族よりも友人や近所の人の方が患者の気持ちをよく理解していることもあるでしょう（BOX4)．

▶家族などの意向や状況

患者の周りにどのような関係者（家族を含む）がいるのか，その人たちはいま現在どのように考えているのか，できるだけ情報を集めておきましょう．こうした情報が必要な理由は二つあります．一つは，家族の側に，患者の医療・ケアについて，最善の決定をするのを妨げる要因がないのか，把握するためです．例えば，患者の年金で生計を立てている家族には，生命維持治療について患者の立場に立った判断は困難かもしれません．もう一つは，家族自身も当事者であるためです．とくに，経済的負担や介護的負担を実際に担う家族は，その問題についての当事者であると言えます．家族もまた一人ひとり尊重されるべき存在であることを忘れてはなりません．また，生命維持治療の中止など，社会的な影響も考えられうる案件においては，どんなに患者自身の意向が確実であったとしても，家族が反対している場合には，慎重にならざるをえないこともあるでしょう．

▶医療・ケアチームの考え

最初に述べた医学的情報だけでなく，医療・ケアチームでどのような話し合いがされてきたのか，主治医はどう考えているのか，看護師の考えはどうかなど，医療・ケアチームの意向や価値観を確認するのも大切なことです．あらかじめ多職種カンファレンスが行われていてチームの意見が一致している場合には，その意見が院内・院外の規範等に照らして逸脱していないものであれば，倫理コンサルテーションはチームの判断を確認して賛意を伝えるようなものとなるでしょうし，実際にそういう目的で依頼をされることもあります．また，チーム内の意見が一致していなくても，不一致点が明確になっていれば，ミーティングでの話し合いの出発点を適切に定めることができます．複数の診療科が関与しているにもかかわらず，そもそも話し合いがもたれていないような場合には，医療・ケアチームの話し合いの場を設けることが倫理コンサルテーションの重要な役割のひとつになります．

▶関連するルールやガイドラインなどの確認

コンサルテーション・ミーティングで議論する内容に関連する院内指針や国内のガイドラインを確認しておきましょう（➡第７章 - 2）．また，書籍や雑誌のケースカンファレンスや裁判例などで類似する事例があれば，参考になるかもしれません（➡第７章 - 1）．さらに，患者安全（医療安全）や紛争防止上の懸念がある事例の場合には，状況や依頼者の希望に応じて，関係する部署の意見を事前に聞いておくことも有用でしょう．

意見を聞くべき「患者の関係者」とはだれか

コンサルテーションのさいに意見を聞くべき「患者の関係者」とはどのような人でしょうか．そうした関係者としてまず想定されるのは「家族」です．民法においては，親族として，六親等内の血族，配偶者，三親等内の姻族と規定していますが，「家族」という定義はありません．これに対し，育児・介護休業法では，「対象家族」という言葉を用い，その範囲を「配偶者（事実婚を含む），父母（養父母を含む），子（養子を含む），配偶者の父母，祖父母，兄弟姉妹及び孫」としています．しかし，近年では，家族に関する「より広い」考え方もみられます．2007 年に作成された厚生労働省「終末期医療の決定プロセスに関するガイドライン」の解説編では，「家族」という言葉を，「患者が信頼を寄せ，終末期の患者を支える存在であるという趣旨ですから，法的な意味での親族関係のみを意味せず，より広い範囲の人」[3] を意味するとしています．この場合の家族とは，患者と親族関係をもった個人にとどまらず，入籍をしていないカップルや同性同士のパートナーも含むことができます．こうした意味での家族は，「分かち合いによる絆や，情緒的な親密さによって互いに結びつき，自分たちは家族の一部であると自覚している，2 人以上の人々」[4] という，家族看護学の研究者であるフリードマンによる定義に一致すると言えるでしょう．本書でも，家族をこの意味で使用します．

さらに，近年では，上記の意味での家族以外の人も，医療・ケアの決定において意見を聞くべき人に含まれるようになっています．現代社会においては，家族のような親密な関係ではなく，友人たちに支えられて一人住まいを続けている高齢者など，「家族」という言葉ではくくれない関係の中で暮らしている人もおり，そうした人が患者の関係者でありうるからです．こうした現況は，ガイドラインにも反映されています．2018 年に改訂されたガイドラインの解説編では，「家族」が「家族等」とされ，「より広い範囲の人」に「親しい友人等」[5] という括弧書きが加えられました．

このように，現代では，家族の範囲だけではなく，関係者の範囲も拡大していると言えるでしょう．したがって，倫理コンサルテーションにあたっても，コンサルテーションの対象となっている問題について，患者の関係者としてだれが適切であるのかを常に意識して，事情の聴取や意向確認をする必要があります．例えば，意思表示できない患者の医療・ケア方針をめぐり，配偶者と，内縁関係にあるパートナーが異なる選択肢を「本人の意向」として主張した場合などでは，倫理コンサルタントは，「婚姻関係にない」という理由のみでパートナーの意見を安易に排除せず，どちらが代諾者として適切であるのか，各選択肢を選んだ場合に双方の家族がどのような影響を受けるのかを，医療・ケアチームと共に慎重に検討する必要があります [6]．

3　厚生労働省．終末期医療の決定プロセスに関するガイドライン 解説編．2007，p.5.
4　Friedman MM. *Family Nursing*：*Theory and Practice,* 3rd Edition. Appleton & Lange；1992, pp. 8-9.
5　厚生労働省．人生の最終段階における医療・ケアの決定プロセスに関するガイドライン 解説編．2018，p.5.
6　代諾者の適切な選び方に関しては，『ケースブック』第 5 章を参照してください．

4 分割表を用いた情報整理

日本では，臨床において生じる倫理問題を検討するさい，「4 分割表」（下記）が広く用いられています．この表は，アルバート・ジョンセンらが『臨床倫理学』において提唱した，ケースを検討・分析するための四つの視点に基づいています．4 分割表自体は情報整理のツールですので，ここから直接どうすればよいのかを導くことはできません．しかし，コンサルテーションの場面において，医療・ケアチームがいま持っている情報や，これから入手すべき情報を確認するのに役立ちます．また，この表に情報を整理して記入していく中で，倫理的な問題の構造が明確になることや，倫理的問題だと考えられていたものが，そうではないことが明らかになることもあります．表の各項目にどのような情報を埋めればよいのかを以下に示しますが[7]，厳密な埋め方にこだわらず，まずは気軽に使ってみることが大切です．

医学的適応（Medical Indications）	患者の意向（Patient Preference）
1. 患者の医学的問題は何か？ 2. 急性か，慢性か，重体か，救急か？ 3. 治療の目標は何か？ 4. 治療が成功する確率は？ 5. 治療が奏功しない場合の計画は何か？ 6. 要約すると，この患者が医学的および看護的ケアからどれくらい利益を得られるか？また，どのように害を避けることができるか？	1. 患者には意思決定能力（精神的判断能力）と意思能力・行為能力（法的対応能力）があるか？ 2. 意思決定能力がある場合，患者は治療への意向についてどう言っているか？ 3. 患者は利益とリスクについて知らされ，それを理解し，同意しているか？ 4. 意思決定能力がない場合，適切な代諾者はだれか？ 5. 患者は以前に意向を示したことがあるか？事前指示はあるか？ 6. 患者は治療に非協力的かまたは協力できない状態か？ その場合なぜか？ 7. 要約すると患者の選択権は倫理・法律上，最大限に尊重されているか？
QOL（Quality of Life）	**周囲の状況（Contextual Features）**
1. 治療した場合，あるいはしなかった場合に，通常の生活に復帰できる見込みはどの程度か？ 2. 治療が成功した場合，患者にとって身体的，精神的，社会的に失うものは何か？ 3. 医療者による患者の QOL 評価に偏見を抱かせる要因はあるか？ 4. 患者の現在の状態と予測される将来像は延命が望ましくないと判断されるかもしれない状態か？ 5. 治療をやめる計画やその理論的根拠はあるか？ 6. 緩和ケアの計画はあるか？	1. 治療に関する決定に影響する家族の要因はあるか？ 2. 治療に関する決定に影響する医療者側（医師・看護師）の要因はあるか？ 3. 財政的・経済的要因はあるか？ 4. 宗教的・文化的要因はあるか？ 5. 守秘義務を制限する要因はあるか？ 6. 資源配分の問題はあるか？ 7. 治療に関する決定に法律はどのように影響するか？ 8. 臨床研究や教育は関係しているか？ 9. 医療者や病院側で利害対立はあるか？

7 A. ジョンセン，M. シーグラー，W. J. ウィンスレイド．臨床倫理学（赤林 朗，蔵田伸雄，児玉 聡監訳）．新興医学出版社；2006，p.13.

5 コンサルテーション・ミーティング開催の判断

倫理コンサルテーションの対象であることが確認され，事前の情報収集を終えた段階で，コンサルテーション・ミーティングをどのように開催するのか，また，そもそも開催することが適切かどうか，一度立ち止まって考えます．

コンサルテーション・ミーティングを開催しない方がよい場合としては，次のような場合が考えられます．一つ目は，扱われる情報が非常にセンシティブな場合です．例えば，スタッフの一人が HIV 陽性であることが判明し，配偶者に対して告知を拒否しているような事例では，個人情報保護の観点から，少人数で話し合います．そのスタッフの医療・ケアに携わっているチームのメンバーやスタッフ本人も含めたコンサルテーション・ミーティングが必要であるのかも含め，まずは依頼者とコンサルタントでしっかりと検討しましょう．

二つ目は，医療・ケアチームの中に，倫理コンサルタントの関与に反対している，もしくは反対する可能性のあるメンバーがいる場合です．例えば，依頼者が所属する医療・ケアチームの医師が，倫理コンサルタントの関与を自らに対する非難と受け止め，コンサルタントがいるミーティングへの参加を拒否した場合，ミーティングによって問題を解決するのは困難です．こうした場合には，依頼者や，主治医に声をかけやすい医療・ケアスタッフに動いてもらい，多職種カンファレンスを設定するほうが円滑に進むかもしれません．コンサルタントは，自らカンファレンスに参加するのを控え，誰がどのように主治医に働きかけたらよいかを依頼者と相談するようにしましょう．

6 コンサルテーション・ミーティングの開催方式

コンサルテーション・ミーティングを開催すると判断した場合には，開催方式を決める必要があります．これから説明する二つの開催方式のうち，いずれの形式を採用するのかは，問題の内容や緊急性などを踏まえて個別に判断します．

① コンサルタントがコンサルテーション・ミーティングを主催する場合

一つ目は，コンサルタントが主導して関係者に集まってもらい，ミーティングを行う形式です．ミーティングの参加者は，コンサルタント，依頼者，医療・ケアチームを基本としますが，他にも参加すべき人がいるかどうか，コンサルタントと依頼者で相談しましょう．参加者を確定した上で，コンサルタントがミーティングの参加者を招集します．この形でのミーティングはよりフォーマルといえますが，参加者の中には「呼び出された」と思う人もいるかもしれません．参加者の様子を踏まえながらミーティングを進めましょう．

② 多職種カンファレンスをコンサルテーション・ミーティングとする場合

二つ目は，依頼者が所属するチームの多職種カンファレンスなどにコンサルタント（個人もしくは数人）が参加する形式です．コンサルタントは，誰に参加してもらう必要があるのか，どのようにカンファレンスを進めるのかを，依頼者と事前に打ち合わせた上で，カンファレンスに参加します．その事案に関係している人たちによる話し合いを中心とし，コンサルタントは適宜意見を述べたり，アドバイスを行います．このような形でのミーティングの中には，チームが出した結論やそれまでのプロセスに対して，コンサルタントからいわば賛意をもらうためだけのものもあります．スタッフに対する教育的効果もあるため，こうした依頼にも対応していくようにしましょう．

コンサルテーションチームの責任者は，いずれの形式であっても，多職種での検討が十分にできるよう，適切なコンサルタントをチームから選ぶようにします．責任者が自分でコンサルテーションチームのメンバーや依頼者たちと日程の調整をすることが困難な場合には，コンサルテーション専任の事務スタッフを置く必要があります．その場合でも，時間的な緊急度などは責任者でなければ判断することが難しいため，責任者と事務スタッフが密に連絡を取り合う体制を整えましょう．また，事案によっては，十分な人数が集まることよりも，関係者が迅速にミーティングを行う方が重要な場合もあります．形式や構成メンバーにとらわれ過ぎず，臨機応変に対応する必要があります．

7 コンサルテーション・ミーティングの進め方

ミーティングを開始する前に，司会を決める必要があります．依頼者が所属する医療・ケアチームのカンファレンスにコンサルタントが参加する場合には，基本的にチーム内のメンバーが司会を務めます．他方，コンサルタント主導のもとで開催されるミーティングの場合には，基本的にコンサルタントが司会を務めます．この方針により，ミーティングを円滑に進められます．

司会者は，立場の弱い人たちを含め，ミーティング参加者全員から考えや想いを引き出し，参加者が感じている問題に対して，他の参加者が共感的な態度をもてるように進行するようにしましょう．立場の強い医師が一方的に医学的問題だけを話し始めると，だれもその点においては反論できず，医師の考える方針以外の意見が出なくなってしまうことがあるため，この点は常に気をつけなければなりません．

こうした話し合いを経ることで，参加者は，お互いに相手を否定せずに傾聴し合い，それぞれのスタッフが抱える感情や，その感情をもつに至った背景について理解を深められます．さらに，チームメンバーの共通の目標が，患者や家族にとっての最善を目指した実践であることを認識し，倫理的問題を共有・理解できるよう，倫理コンサルタントは話し合いを支援しましょう．このような思考方法を経験することは，話し合いだけではなく，以降のチームビルディングにもよい影響を与えます．

以下では，コンサルテーション・ミーティングの進め方を説明します．➡本書付録として，ここで説明する進め方に基づいた仮想倫理コンサルテーションを収録しました．常に手順通りに進められるわけではありませんが，倫理コンサルテーションを実施するさいの参考にしてください．

① ケースおよび問題点の提示

一般的な症例検討と同様，依頼者からケースの概略と，依頼を考えた理由である問題点を説明してもらいます．依頼者が考えている問題点と，他の職種が感じている問題点に相違があることも考えられるため，上に述べた司会者としての注意点に気をつけながら，チーム内の他の職種の意見をしっかりと受け止めます．

② 情報の共有と確認

事前の情報収集で不十分と思われたところを質問します．とくに，倫理コンサルテーションを行う上で前提となる医学的事実については，何がわかっていて，何がわかっていないのかを共有するようにしましょう．また，コンサルタントは，質問にさいして，なぜその質問をするのかを説明するようにします．こうすることで，依頼者への教育的効果も期待できます．質疑応答の後，現時点で不足している情報を確認しましょう．

③ 倫理的検討

関係者から集めた情報にもとづき，どの行為が適切であるのかを導くためには，倫理的分析を行う必要があります．ここでは，➡第1章で紹介した生命・医療倫理の4原則を用いた「原則を中心とした事例検討法」を紹介します（表2）[8]．この検討方法は，5つのステップから構成されます．このうちステップ1（分析）は➡本章❹-②において，ステップ5（反省）は➡次章において評価の一

8 ここで述べる分析法は，ゲオルグ・マールクマンによって提唱されたものですが，細部に関しては変更を加えています．Marckmann G. Im Einzelfall ethisch gut begründet entscheiden : Das Modell der prinzipienorientierten Falldiskussion. Georg Marckmann (ed.), *Praxisbuch Ethik in der Medizin.* Medizinisch Wissenschaftliche Verlagsgesellschaft ; 2015, pp. 15-22.

表2　原則にもとづく検討法のステップ（ゲオルグ・マールクマン）

ステップ1：分析	医学的観点にもとづく事例の整理，選択肢の列挙
ステップ2：評価1	患者に対する倫理的義務にもとづく評価
ステップ3：評価2	第三者（家族，他の患者，社会）に対する義務にもとづく評価
ステップ4：統合	評価1および評価2にもとづく適切な選択肢の確定
ステップ5：反省	選択肢に対するもっとも強力な反論や，問題を避ける可能性の確認

部として解説するため，ここではステップ2から4を説明していきます．なお，次章で扱うコンサルテーションの評価は，ステップ2及び3の評価とは異なります．両者の混同を避けるために，本書では後者を「原則にもとづく評価」と呼びます．

▶原則にもとづく評価1

原則にもとづく評価とは，4原則にもとづいて，➡本章❹-②で挙げられた選択肢を評価することを意味します．評価1のステップでは，患者に対する義務（自律尊重，善行，無危害原則）を，二つの段階に分けて評価します．第一段階では，善行原則および無危害原則にもとづき，患者にもたらされる利益と危害の観点から各選択肢を評価します．ある進行がんの患者を例に，考えてみましょう．この患者に対しては，現在，化学療法およびホスピスへの転院という二つの選択肢があります．抗がん剤によって回復する見込みはわずかながら存在しますが，治療はかなり大きな苦痛を伴います．他方，ホスピスへの転院により，病状が改善する可能性はなくなりますが，治療にともなう苦痛からは解放されます．

ここで大切なのは，それぞれの選択肢が患者にもたらす利益と危害を比較考量することにより，患者に提示する選択肢の範囲を適切なものにすることです．依頼者が所属するチームの医師は，「この状態ならまだ抗がん剤治療を続行するべきであり，ホスピスへの転院など提示すべきではない」と考えているかもしれません．しかし，治療による苦痛を避け，ホスピスにおいて家族と平穏な日々を送ることも，患者にとって意味のある選択肢である可能性はあります．利益や危害を検討するさいには，医学的なものだけではなく，「家族との平穏な日々」など，さまざまな側面から検討する必要があります[9]．また，この段階の検討は，患者自身の意向とは独立に行われます．というのも，ここでの目的は，患者が望んだとしても受け入れられない選択肢を除外することだからです．

第二段階では，自律尊重原則にもとづき，どの選択肢がもっとも患者の意向に適ったものであるのかを評価します．そのさい大切なのは，本人の意向です．ただし，「本人が言っていること」を「本人の意向」として鵜呑みにしてはいけ

9　利益および不利益の多様性に関しては，『ケースブック』第2章を参照してください．

ません．まずは，インフォームド・コンセントの手続きに従い，十分かつ正確な情報が患者に分かりやすく提供され，理解されているのかを確認しましょう．さらに，患者をとりまく状況次第では，表明された意向が自発的になされたものであるのかを再検討する必要もあります．例えば，かたくなに治療を拒否している患者は，十分な情報を提供されていなかったり，治療による経済的負担が気になり，治療を受けたいという気持ちを押さえつけているのかもしれません．このような場合，医療・ケアスタッフは，患者の意向をあらためて確認し，本当は治療を受けたいということであれば，経済的な不安を取り除く方法がないのかを検討する必要があります．

➡本章❹－②で述べたように，患者の意思決定能力が低下している場合には，事前指示書など患者が医療・ケアに関して意向を表明した文書が残っていないのかを確認するとともに，患者の考え方・価値観を知っている人の意見を集めます．これらの情報を総合的に検討することにより，患者の意思を推定することになりますが，そのさい注意すべきなのは，これらの手続きに従って示された患者の意思は，あくまでも推定された意思であるということです．なお，患者の意思を推定するいかなる情報もない場合には，第二段階の評価は行われません．

▶原則にもとづく評価2

ここでは，正義原則の観点から，各選択肢の評価を行います．そのさいに考慮されるのは，患者以外の関係者です．というのもこの原則は，医療・ケアチームに，担当の患者だけではなく，それ以外の人たちのことも考慮するよう求めるからです．ここで言う関係者には，家族，他の患者，社会，さらには医療・ケア従事者自身も含まれます．先ほどの進行がんの事例を用いるなら，患者の家族はどの選択肢を望ましいと考えているのか，また，それぞれの選択肢は，他の患者や社会にどのような影響を与えるのかといったことが，ここで検討するべき問いになります．例えば，家族自身は，患者と穏やかな日々を送りたいと考えているなら，ここでの評価はホスピスへの転院を支持します．また，あまり効果が期待できない患者に高価な抗がん剤を用いることは，正義原則の観点から疑問視されるかもしれません．

基本的に，評価1は評価2に優先します．というのも，医療・ケアチームが責任を負っているのは，家族や社会ではなく，基本的に患者自身だからです．転院することが，家族の意向や公平な医療資源の配分に適っているように思えたとしても，抗がん剤治療が適切な選択肢の一つであり，患者本人がそれを望む限りは，その意向に従うことが基本となります．ただし，患者以外の関係者にあまりにも大きな負担をかける場合には，事情は違ってきます．例えば，いつ急変してもおかしくない患者の外出に医師が付き添うことは，評価1では支持されるかもしれません．しかし，この通りに実行することにより，他の患者に深刻な影響が出る場合には，評価2を評価1に優先する可能性もあります.

また，評価2は，評価1において同じように評価された二つの選択肢に優先順位を付ける場合にも，影響を与えます．例えば，重度の障害を負った新生児に対して侵襲の大きい手術を行うことと，緩和を中心に看取ることの間に大きな違いがないと医療・ケアチームが判断しているのであれば，親の意向に委ねるという選択肢もありえます.

▶原則にもとづく評価の統合

最後に，各原則にもとづく評価を統合します．再び，評価1で挙げた進行がん患者の事例をとりあげましょう．医療チームが，評価1の作業を通じて，ホスピスへの転院と抗がん剤治療をとりうる選択肢として提示し，患者自身も，これ以上の苦しみは避けたいと考えているとします．さらに家族も，当人の意向を尊重したいということであれば，各原則にもとづく評価は一致することができ，何をなすべきなのかは明確になります．倫理コンサルテーションで扱われる事例がこれほど簡単に解決するはずはないと考える人もいるでしょうが，情報収集からの一連のステップを辿ることにより，いずれの原則からみても，同じ選択肢が倫理的に優れていると結論づけられる可能性はあります.

もちろん，評価が一致しない場合もあります．例えば，先ほどのがん患者が，チームが選択肢から排除した手術を，家族とともに求めているとしましょう．医療・ケアチームからすれば，その選択肢は，そもそも医学的適応がなく，患者の健康を害し，過剰な苦痛をもたらすだけのように思われます．このような場合，倫理コンサルタントおよび医療・ケアチームは，もう一度ステップをさかのぼり，かたくなに治療をもとめる患者の気持ちを受け止め，患者や家族の希望や目標にあらためて耳を傾けるようにします．そうした努力の中で，どうしてもやり遂げたい仕事があり，そのために手術を望んでいることが明らかになるかもしれません．このとき倫理コンサルタントおよび医療・ケアチームに求められるのは，さらに手順をさかのぼり，患者がその仕事を終えるまでの時間を確保するために，手術以外のどのような方策が可能であるのかを検討することです．こうした手続きを踏むことにより，最終的に評価が一致するよう努力します.

しかし，患者がかたくなに手術を望むために，どうしても評価を一致させることができない場合には，関連するルールやガイドラインなどの情報や，主要な倫理的アプローチ法（BOX6）を踏まえて，方針を決定する必要があります．本ケースであれば，医師の説明義務違反が問われた「エホバの証人事件」が参考になるでしょう[10]．この判決では，医師は，無輸血での治療を望んでいる患

---

10 事件の判決概要，関連学会により作成されたガイドライン等のURLに関しては，➡第7章を参照してください．また，未成年の患者をめぐる輸血拒否の問題については，『ケースブック』第6章において詳細に扱われています.

者に対し，輸血の可能性に関して説明する義務を負うとされました．しかし同時に，患者の希望通りに治療をしなければならない義務まで認められたわけではありません．つまり医療・ケアチームには，自分たちが不適切と考える治療を行う義務はないのです．こうした判例を用いることにより，倫理コンサルテーションは，困難な対立状況から抜け出し，一定の結論に至ることができます．

主要な倫理的アプローチ法

帰結主義

この理論は，複数の選択肢の中から，もっとも望ましい結果を生み出す選択肢を，倫理的に適切であるとみなします．「最大多数の最大幸福」を基礎とする功利主義は，幸福という結果を重視するタイプの帰結主義です．評価２の箇所で挙げた，いつ急変してもおかしくない患者の外出に医師が付き添うべきかという事例で考えましょう．ある人が，医師がなすべきなのは，付き添いではなく，病院に残って診察することであると判断した場合，その背景には，「後者を選んだ方が，結果が望ましい」という帰結主義的な根拠があると言えるでしょう．帰結に訴えるこうした議論は，非常に強力です．しかし，こうした意見が出された場合，倫理コンサルタントは一歩立ち止まり，さまざまな帰結がしっかりと考慮されているのか，また，帰結にもとづき適切とされた選択肢が，社会で受け入れられている倫理的・法的な基準に反しないのかを確認するようにしましょう．

義務論

この理論は，各選択肢の倫理的な適切さを，それぞれがもたらす結果ではなく，私たちに課されている義務の観点から評価する立場です．例えば，この立場に従えば，積極的安楽死は，苦痛からの解放という望ましい結果をもたらすとしても，「人を殺してはならない」という義務に反するために基本的に許されません．もちろん，義務と言われているものにただ機械的に従うだけで，倫理的問題が解決するわけではありません．しかし，倫理コンサルテーションは，対話に参加する人を尊重するという義務に従うことによってはじめて，そのプロセスを進めることができます．また，本書で採用する倫理的対話促進アプローチは，社会で受け入れられている倫理的・法的な基準を重視する点において，義務論と密接に結びついています．

決疑論

医療・ケアスタッフが直面する倫理的な問題は，まったく新しいものであるとは限りません．これまでにも同じような問題が生じ，その多くは適切に解決されてきた可能性があります．決疑論とは，過去に解決されてきたそうした事例を模範として，目の前の問題に対処しようとするアプローチです．模範的事例には，ある病院で受け継がれてきたものもあれば，判例のように公共の場で議論されたものもあります．➡本章7-③では，患者の要求にどこまで応えるべきなのかという問題を解決するために，「エホバの証人事件」の判決を引き合いに出しましたが，ここでは決疑論的なアプローチが採用されていると言えます．なお，本章BOX5において紹介したジョンセンらは，このアプローチを採用しています．4分割表は，目の前の事例が模範的事例とどの程度類似しているのかを確認するのにも役立つツールです．

徳倫理

この立場は，人に備わる徳に訴えることにより，倫理的に適切な選択肢を特定しようとします．徳とは，ある状況を前にして，そこで何が問題となっているのか，どのように振る舞うべきなのかを適切に感受する能力とされています．ある選択肢が適切である（あるいは不適切である）ことを分かっているのに，言葉では説明できない事態を，徳倫理はうまく言い表しています．しかし，倫理コンサルテーションは，感受性だけでは解消できない問題を，言葉を通じて解決しようとする試みです．そのため，コンサルテーションの場面で徳倫理の立場から適切な選択肢を選び出すことには慎重であるべきです．むしろ倫理コンサルタントは，対話の場に対して感受性を発揮し，対話を阻害している問題がないか，そうした問題を解決し，対話を活性化するには何が必要なのかを把握するように努めましょう．（こうした意味での徳は，➡第２章-2-③で説明した態度や姿勢と密接に関わります）．

8 検討結果の扱い

① 検討結果の戻し方

倫理コンサルテーションを通じて得られた検討結果は，「倫理コンサルテーション結果通知書」という形で依頼者および医療・ケアチームへ戻します．この文書には，依頼内容にはどのような倫理的問題が含まれるのか，どのような解決方針が倫理的に適切であり，それはなぜなのかといった点を記載します（BOX7）．さらに，解決方針にもとづく具体的な対応を記載できれば，医療・ケアチームはスムーズに対応することができます．患者への対応に苦慮する医療・ケアチームからの依頼であれば，患者に説明するさいどのように話せばよいのか，どのように話を進めればよいのかを具体的に記載するとよいでしょう．こうした配慮は，結果として倫理コンサルテーションに対する信頼を高めることにもなります．ただし，コンサルタントが依頼者の多職種カンファレンスに

依頼者へ検討結果を通知する文書へ記載すべき事項

1. 患者氏名・カルテ番号
2. 事例の概要
3. 依頼内容
4. コンサルテーション・ミーティング
   ① 開催日時・場所
   ② 出席者
   ③ 議事概要
5. コンサルテーション結果
   ① 依頼案件における倫理的問題
   ② 協議の結果とその理由

＊名称は，「検討結果報告」「倫理コンサルテーション協議結果通知書」など，さまざまなものが考えられます．病院の状況に応じて検討してください．
＊通知書のモデルは，➡巻末付録に収録しています．

参加する場合（➡本章❻）には，依頼者が作成し，倫理コンサルタントが確認した議事録のみで済ませるというのもよいでしょう．いずれにしても，依頼者に対して，倫理コンサルテーションの結果がなるべく端的に伝わるように留意しましょう．

なお，依頼者へ戻す結果通知書とは別に，倫理コンサルテーションへの依頼内容や検討のプロセスおよび結果を記録として残すことは，コンサルテーション活動を評価する上で非常に重要になります．この点については➡次章においてあらためて扱います．

② カルテへの保存

結果通知書をそのままカルテに保存することが適切であるのかについては，議論があります．通知書の内容をすべて電子カルテに保存して，その患者の医療・ケアに携わっている人，場合によっては患者本人や家族等が見られるようにすることは，透明性や情報の共有の観点からは有益であるように思えます．他方で，倫理コンサルテーションでは，個人の価値観が議論において問われることになるため，スタッフの中には，「カルテに残るなら発言を控えよう」「カルテに残るなら依頼をやめておこう」と考える人もいるかもしれません．倫理コンサルテーションを導入する前に，何をどこまでカルテに残すのか，病院の事情にあわせてよく話し合って決めておく必要があります．本書では，臨床倫理コンサルテーションのプロセスをすべてカルテに保存するのではなく，結果通知書の内容を踏まえて，医療・ケアチームが最終決定をし，その経緯をカルテに記載することを推奨します．というのも，倫理コンサルテーションは，倫理的問題の解決に向けた支援である以上，最終的な医療・ケアの判断はチームがすることになるからです．

3章 ここがポイント！

- 倫理コンサルテーションの進め方には，権威主義的アプローチ，合意追求型アプローチ，倫理的対話促進アプローチがあります．
- 本書では，医療・ケアチームと患者・家族が，倫理的な対話を通じて，倫理的・法的に適切な結論を出すのを支援する，倫理的対話促進アプローチを推奨します．
- 倫理コンサルテーションの対象ではない相談にも幅広く対応するとともに，簡潔な依頼書を準備するなど，依頼しやすい環境を整えましょう．
- 情報の収集は入念に行いましょう．特に，前提となる医学的な事実についての情報が不十分だと，そのあとに適切な倫理的判断ができない場合があります．
- 倫理コンサルテーション・ミーティングの開催は必須ではありません．ケースごとに開催の適否を判断しましょう．
- 倫理的分析を行うさいには，生命・医療倫理の4原則とともに，必要に応じて法，判例，ガイドラインも利用しましょう．
- 倫理コンサルテーションの結果は，話し合った道筋をたどることができ，どのような結論になったのかが端的に分かる形で依頼者に返しましょう．

memo

COLUMN

何のためのカンファレンス？

今日，医療現場では，退院カンファレンス，栄養カンファレンス，褥瘡カンファレンスなど，医療・ケアの向上を目的とした多くのカンファレンスが定期的に行われています．しかし，実際のカンファレンスはこの目的を達成できているでしょうか．患者の紹介や事例の報告に終わり，カンファレンスをすること自体が目的になっていませんか．そうなっている場合には，病院内のさまざまな部署と連携しながら，一度カンファレンスのあり方を見直してみましょう．こうした見直しにより，多忙な業務の中で，たくさん存在するカンファレンスに割かれる時間を節約できるだけでなく，本来の目的を達成するための早道になるかもしれません．さらに，臨床の現場に隠れていた多くの倫理的課題を発見し，解決することにもつながると考えられます．なお，開催自体が目的になってしまうという問題は，倫理コンサルテーション・ミーティングについても生じるかもしれません．倫理コンサルタントは，何のためのミーティングか分からなくならないように，目的をはっきりさせるようにしましょう．

memo

COLUMN

苦情の背後に倫理あり！？

患者からは日々多くの意見や相談が寄せられます．寄せられる意見の中には，医療ケアや環境などに対する不満も含まれています．患者からの苦情に直面することは，医療・ケア従事者にとって苦痛です．しかし，「患者さんの不満はどこからくるのだろう」と考えてみませんか．苦情の中には，医療・ケア従事者による説明の不十分さや，医療・ケアを提供するさいの配慮の欠如などがあると言われています．説明が不十分では，患者・家族は医療・ケアに関して納得して意思決定することはできません．また，処置への配慮がおろそかになると，患者さんに利益をもたらせないだけではなく，危害をもたらす可能性もあります．苦情を訴えてきたとき，「嫌な思いをされたのですね．なぜその不満をお持ちになったのか，お話を聞かせてください」と問いかけ，その苦情の背景にあるものを探ってみると，倫理の問題が姿を現すかもしれません．

memo

4章　倫理コンサルテーションの評価

本章では，実施した倫理コンサルテーションの評価を扱います．倫理コンサルテーションがようやく医療・ケアの現場に根づき始め，コンサルテーション実施の有無が病院の質評価に影響を与えるようになった日本において，コンサルテーションの評価は早すぎると思われるかもしれません．しかし，この流れを途絶えさせないためにも，自らの活動を評価し，コンサルテーションが医療・ケアにとって有意義であることを示していく必要があります．また，コンサルテーション導入時から評価を検討しておくことにより，それぞれの病院に適した評価が可能になります．

1　評価はなぜ重要なのか[1]

倫理コンサルテーションの活動を評価することが重要な理由は，三つあります．第一の理由は，倫理コンサルテーションがさまざまなサポートによってはじめて成立することに由来します．➡第2章で述べたように，倫理コンサルテーションの仕組みを導入し運営する上では，病院の責任者や同じ部署で働くスタッフからのサポートが必要不可欠です．そうである以上，倫理コンサルテーションチームのメンバーは，この仕組みが十分に意味のあるものであることを示す必要があります．

第二の理由は，倫理コンサルテーションが行う業務内容に由来します．コンサルテーションで扱われる問題の中には，人工呼吸器の取り外しなど，患者の生死に直結するものがあります．そのため，質の低い倫理コンサルテーションは，その患者にとって著しい不利益をもたらす可能性がありますし，依頼者や医療・ケアチーム，さらには病院自体を紛争や訴訟に巻き込むことになりかねません．こうした事態を避けるためにも，倫理コンサルテーションのサービスは，定期的な評価を通じて，一定の質を維持しなければなりません．

第三の理由は，倫理コンサルテーションの今後の活動につなげるというものです．コンサルテーションの内容を評価することにより，コンサルテーション

1　本節の記述は，アメリカ生命倫理人文学会の報告書を参考にしています．American Society for Bioethics and Humanities. *Core Competencies for Healthcare Ethics Consultation*, 2nd Edition. 2011, p.34.

の仕組みをさらに改善することができます[2].

2 評価の種類

① 倫理コンサルテーション実施直後の評価

コンサルテーションチームは，コンサルテーションを終えた時点で，適切に対処できたのか，できなかったとすればどのような改善点があるのかなどを話し合います．話し合いの内容は，依頼者へ戻す文書（➡第３章 BOX7）とは別に，倫理コンサルテーション実施記録としてまとめ，保管します（BOX1）．実施記録は，以下に述べる一定期間ごとの評価の基礎データになるとともに，コンサルテーション・ミーティングに参加していないメンバーが，ケースからの学びを共有する資料となります．コンサルテーションを進めながら実施記録を作成すれば，コンサルテーションのステップを着実に踏むことができますし，終了後の作成の負担を減らすことができるでしょう．

② 一定期間ごとの評価

コンサルテーション・サービスを導入した後は，一定期間（例えば１年）ごとに評価を行いましょう．➡本章❸で述べる基準にもとづき，コンサルテーションの仕組み全体を評価します．評価のさいには，院内指針や教育など，倫理コンサルテーションと密接に関連した活動（➡第５章）も視野に入れましょう．例えば，もし特定のタイプの事例が何度も依頼されているなら，何らかの院内指針が必要かどうか検討する必要があるかもしれません．また，院内指針に従えば解決できる問題が数多く依頼されているのであれば，院内教育について見直さなければならないでしょう．コンサルテーションの評価は，コンサルテーションの改善だけに留まる話ではないのです．

評価は，基本的に，コンサルテーションチーム自身が行います．ただし，チームのみでは批判的な検討が十分にできない場合には，コンサルテーションチームが所属する部署（臨床倫理委員会等）に評価を依頼することも検討しましょう．なお，所属部署に評価を依頼しない場合でも，実施したコンサルテーションの概要と，一定期間ごとの評価の結果は，報告する必要があります．概要の報告を，評価のときのみとするのか，より頻繁に行うのかに関しては，依頼件数や病院の事情を考慮して決めるとよいでしょう．

---

2 ➡第１章 BOX2 で述べたように，病院機能評価の評価項目の中には，主要な倫理的課題に関して「解決に向けた取り組みが継続的になされている」ことが含まれます．こうした取り組みの一つである倫理コンサルテーションが継続する上でも，評価は役に立つでしょう．

倫理コンサルテーション実施記録に記載すべき事項

基本情報

- ケースに関する基本的な情報を記載します．
  依頼年月日／コンサルテーション実施年月日／回答書あるいは議事録の交付年月日／依頼者（氏名，職種）／依頼理由／患者情報（氏名，カルテ番号）／主治医／関係者／対応方法（個人，チーム，委員会）／主担当コンサルタントなど．

ケースに関する情報

- 記録を細かく作成する余裕があれば，第３章-❹-②の区分にしたがって情報を整理しましょう．

コンサルテーションの結果

- コンサルテーション・ミーティングを行った場合には，その概要を記載します．助言をした場合には，その内容も書きます．

その後の経過

- 医療・ケアチームは話し合った結果や助言をどのように受け取ったのか，患者はどうなったのかなど，ケースに関する経過を記載します．

事後評価

- 今回のコンサルテーションにおいて改善が必要な点はどこだったか，類似の依頼により適切に対応するにはどうすればよいのか，何らかの院内指針は必要か，もし今回の倫理的問題を避けることができるとしたら，医療・ケアチームはどうすればよかったのかなどを記載します．

＊実施記録のモデルは，巻末付録に掲載しています．

3 評価基準の設定と評価の方法

倫理コンサルテーションも，医療サービスの一部です．そのためアメリカでは，医療の質を評価する３つの観点（構造，プロセス，アウトカム）[3]にもとづき，倫理コンサルテーションも評価されてきました．ここでは，それぞれの観点を評価するための，「評価の視点」と「評価の方法」を提案します．実際に評価を行う場合には，各病院の事情も踏まえ，自分たち独自の視点や方法を反映させてください．

3　聖路加国際病院 QI センター・聖路加国際病院 QI 委員会編集．Quality Indicator 2022［医療の質］を測り改善する 聖路加国際病院の先端的試み 2018．インターメディカ；2022．

① 構造

倫理コンサルテーションの構造とは，第２章において説明した，倫理コンサルテーションを運用する上で必要な前提を意味します．そうした前提を，表1において「評価の視点」として整理しました．また，「評価の方法」の列には，どのような点に着目してそれぞれの視点を評価すればよいのかを例示しています．例えば，組織図に倫理コンサルテーションが明示されていないなら，組織における正式な位置づけは不十分と評価されます．また，依頼件数が増えているにもかかわらず，兼任コンサルタントの専従時間が確保されないままであるなら，構造を改善する必要があるかもしれません．

これらの前提は，基本的に倫理コンサルテーション導入のさいに必要とされるものです．しかし，病院の状況によっては，すべての前提を十分満たせないままにコンサルテーションを始めざるをえない場合もあるでしょう．また，上の例で示したように，コンサルテーションを運用する中で，必要とされる前提

表1　構造を評価する視点と方法

評価の視点	評価の方法（例）	本書の関連箇所
① コンサルテーションチームは，依頼に対応するのに必要な能力（知識，スキル，態度）を備えている．	• 臨床倫理に関する研修を受講した時間数 • チームを構成する職種の数 • 日本臨床倫理学会等による認定を受けているコンサルタントの人数	第２章-❷
② 倫理コンサルテーションは，組織において正式な形で位置づけられている．	• 病院に認められた倫理コンサルテーション運営規則があるか • 組織図において明示されているか（倫理コンサルテーションの実施主体およびその母体） • 倫理コンサルテーションに相談することが記載されている院内指針があるか	第２章-❸-② 第２章-❹-②
③ コンサルテーションチームは，依頼の対応に十分な時間を割ける．	• 専任コンサルタントの人数 • 兼任コンサルタントの人数 • 兼任コンサルタントがコンサルテーションに専従できる時間が適切に確保されているか	第２章-❸-③
④ 倫理コンサルテーションを行うためのさまざまなリソースがある．	• 倫理コンサルテーションの書式があるか • カルテへのアクセス権限が与えられているか • 担当する事務スタッフが配置されているか • 臨床倫理の書籍・文献等が施設の予算で購入され，保管されているか • 倫理コンサルテーションのための予算が確保されているか • 倫理コンサルテーション記録は施設として管理されているか	第３章 BOX1, BOX7 第２章-❸-④
⑤ 院内スタッフが倫理コンサルテーションの仕組みとアクセス方法を知っている．	• 職員が携行する患者安全ハンドブック等に倫理コンサルテーションへのアクセス方法がわかりやすく記載されているか • 院内での広報活動の回数および手段は適切か • 倫理コンサルテーションの仕組みとアクセス方法を知っているスタッフの割合	第２章 表7

が変化することもあります（例えば，依頼数の増加にともない，当初よりも対応に要する時間が増えるなど）．そのため，定期的に構造を評価し，不十分な点があると判断された場合には，➡第２章をふまえ，改善に取り組むようにしましょう．

② プロセス

倫理コンサルテーションのプロセスとは，➡第３章で説明した，コンサルテーションが踏むべき手続きを意味します．そのためプロセスの評価は，対応した依頼において，この手続きを経ているかどうかにもとづき行われます．構造と同じく，**表２**に「評価の視点」および「評価の方法」を挙げます．

プロセスの評価を容易にする一つの方法は，倫理コンサルテーション実施記

表２ プロセスを評価する視点と方法

評価の視点	評価の方法（例）	本書の関連箇所
① 適切に依頼を振り分けられている．	• 依頼に対応するモデルを途中で変更した割合	➡第３章-❸
② 依頼の直後に，必要な情報を収集できている．	• 依頼を受けたあと，協議を行うまでに，カルテを確認した割合 • 情報不足（依頼者側，チーム両方）のために，再度ミーティングを開催した割合	➡第３章-❹-②
③ コンサルテーション・ミーティング開催の適否を，適切に判断できている．	• 依頼日を含め３日以内にミーティングを開催した割合 • ミーティングを開催しない理由が実施記録に明記されている割合	➡第３章-❺
④ ミーティングに参加するメンバーを適切に選べている．	• 必要なメンバーがいなかったために，再度ミーティングを開催した割合	
⑤ 必要なメンバーがミーティングに参加している．	• 主治医が参加したミーティングの割合 • ミーティングに参加した職種の数が３以上である割合	
⑥ 参加者の対話を促進することができている． ⑦ 倫理的検討を適切に行なっている．	• 参加者が全員発言したミーティングの割合 • 倫理的検討が実施記録に記載されているミーティングの割合 • 倫理的な検討経過の診療記録への記載の有無 • 話し合いの前提となる情報源の記載の有無 • 助言あるいは合意した内容についての理由の記載の有無	➡第３章-❻ ➡第３章-❼
⑧ コンサルテーションの結果を文章にまとめ，依頼者に結果を簡潔に伝えることができている．	• 実施記録や結果通知書が残っている依頼の割合 • 相談する原因となった倫理的懸念や倫理的問題の記載の有無と割合 • 倫理的な検討の結果，実現可能な実践・方針の記載の有無 • 倫理コンサルテーション後の支援の要否の記載の有無	➡第３章-❽

録にプロセスを反映させることです．これにより，コンサルテーションを実施する上で必要なステップを忘れることはありませんし，評価をするさいに，適切な形で進められたのかを確認することができます．例えば，実施様式に対応モデル変更の有無や，変更した場合の理由を記載する欄を設けておけば，振り分けの適切さを後から評価できるでしょう．また，必要なメンバーがいないためにミーティングを再度開催するケースが起きているなら，ミーティングに参加するメンバーの選択プロセスを再検討してみる必要があるでしょう．

なお，プロセスの改善にあたっては，構造の改善も視野に入れた検討が必要となります．例えば，カルテの確認率が低い場合にとりうる一つの対策は，コンサルタントチームに確認の徹底を周知することです．しかし，確認率が低い背景に，コンサルタントが，十分な専従時間をもてない中，略語や英語で記載されたカルテの判読に時間をとられるという事情があるなら，確認の徹底は対応として不十分です．このような場合には，コンサルタントの専従時間を増やしたり，できるだけ日本語で分かりやすくカルテを記載するようスタッフに周知するといった改善が必要になるでしょう．

本書巻末には，これらの点を一通り評価するための実施記録様式が掲載されています（➡巻末付録）．ただし，詳細な記録様式を採用することにより，かえって記録がつけられない事態が生じるかもしれません．記録にプロセスをどの程度反映させるのかに関しては，倫理コンサルテーション・サービスのマンパワーもふまえて決定しましょう．

③ アウトカム

倫理コンサルテーションのアウトカムとは，倫理コンサルテーションの活動から生じた結果です．本書では,「コンサルテーションの検討結果」に加え,「依頼者の満足度」もアウトカムに加えます[4]．依頼者の満足度をアウトカムに加えるメリットは，二つ挙げられます．一つ目のメリットは，別の視点から評価が可能になるということです．アウトカム評価は，構造やプロセスと密接に結びついていますが，依頼者の満足度をアウトカム評価に加えることにより，コンサルタントとは別の視点から，構造・プロセス・検討結果を検討することができます．二つ目のメリットは，検討結果そのものには現れないアウトカムを見られることです．倫理コンサルテーションには，参加者に対する教育的な効果があります．例えば「倫理的知識やガイドラインなど，有益な情報を提供しま

---

4 倫理コンサルテーションが医療ケアの質の向上を目指すことを目的としている以上，アウトカムの評価としては，医療事故や医事紛争の発生件数，看護師の離職率，死亡前の生命維持治療の中止件数など，病院全体の統計への影響を期待してしまいがちです．しかし，倫理コンサルテーションの質とこれらの指標の相関については議論があり，今後，エビデンスの積み重ねが必要でしょう．現時点では，研究を目的とする場合を除き，倫理コンサルテーションとの関係が不明確な指標を評価基準とすることを，本書では推奨しません．

したか」というフィードバック・シートの質問項目を通じて，教育のこうした効果を確認できるのです．

表3に，コンサルテーションのアウトカムを評価するさいの視点とその方法を，BOX2に，満足度を測るための質問項目を挙げます．

表3　アウトカムを評価する視点と方法[5]

評価の視点	評価の方法
① 結果として選択された行為は，一般に受け入れられている基準（倫理的基準，法，判例，専門家のガイドライン，病院の方針）に合致している．	• 用いられた院内外の基準が記載されている実施記録の割合
② 関係者の間の対立は，適切な形で解消された．	• 解消に至ったと記載されている実施記録の割合
③ 医療・ケアチームは，コンサルテーションの結果に沿って対応した．	• 結果に沿って対応した依頼の割合（実施記録および診療録を通じて確認）

依頼者の満足度を測るための質問項目[6]

- 解決しなくてはいけない点が明確になりましたか．
- 倫理の専門家としてのアドバイスを受けられましたか．
- 倫理的知識やガイドラインなど，有益な情報が提供されましたか．
- 説明はよく理解できましたか．
- あなたや参加者の意見は尊重されていましたか．
- 医療・ケアチームを支援するような対応を受けましたか．
- 意見の不一致を解消してくれましたか．
- 医療・ケアチームは，コンサルテーションの結果（助言を含む）に沿った対応をしましたか．
- 全体として，倫理コンサルテーションは有用だと思いましたか．

＊これらの質問項目を含んだフィードバック・シートは，➲巻末付録に収められています．

5　以下の文献を参考に作成しました．American Society for Bioethics and Humanities. *Core Competencies for Healthcare Ethics Consultation*, 2nd Edition. 2011, p.39；Simon A. Qualitätssicherung und Evaluation von Ethikberatung. Dörries A, Neitzke G, Simon A, Vollmann J (ed.), *Ein Praxisbuch für Krankenhäuser und Einrichtungen der Altenpflege*. Kohlhammer；2010, pp.163-177.

6　質問項目およびフィードバック・シートは，アメリカの退役軍人健康庁にある国立医療倫理センターが作成した冊子に添付されているものを参考にしました．National Center for Ethics in Health Center. *Ethics Consultation Responding to Ethics Questions in Health Care*, 2nd Edition. 2015, p.55. なお，横浜労災病院のホームページには，同センターのフィードバック・シートの邦訳が掲載されています．
https://yokohamah.johas.go.jp/about/team_medical/

アウトカム評価をもとに改善を行うさいには，二つの点に注意する必要があります．第一に，アウトカムの改善は，プロセスや構造の改善と密接に結びついているということです．アウトカムは構造やプロセスから生じる以上，それのみで質を改善することはできません．例えば，依頼事案に関連する院内外の基準が記載されている実施記録の割合が低い要因は，院内指針の未整備かもしれませんし，コンサルタントの能力（知識）の問題かもしれません．アウトカムの改善に取り組むさいには，広い視野が必要不可欠です．

第二に，アウトカム評価の低さが，必ずしもコンサルテーション自体の質評価に直結しないということです．例えば，意思表示できない患者に対する人工的水分・栄養補給の是非をめぐるコンサルテーションにおいて，人生の最終段階とは呼べないという理由から，最終的に実施の方針が出されたとします．このとき，どうしても結論に納得しないメンバーがいたなら，フィードバック・シートに示される依頼者の満足度は下がるかもしれません．しかし，ここからただちに，構造やプロセスに問題があることにはなりません．構造やプロセスそれ自体の評価から，アウトカム評価を批判的に見ることも忘れないようにしましょう．

評価をめぐる今後の課題

倫理コンサルテーションの評価をそれ以降の活動に活用することは，とても重要です．しかし，評価をどのように行えばよいのかに関しては，課題も残っています[7]．なぜなら，現在のところ，倫理コンサルテーションの質を評価するための確立された基準が存在しないからです．例えば，依頼を受けてからコンサルテーションを実施し，結果に至るまでの時間（日数）は，簡単にデータを取ることが可能であり，施設間の比較もしやすい指標です．さらに，迅速な対応や助言は依頼者の要求することかもしれません．しかし，時間をかけることが必要な事案も中にはあります．また，依頼件数が少なければ，コンサルテーションが機能していないと評価されるかもしれませんが，その理由は，教育活動が充実しているために，医療・ケアの現場で自主的にカンファレンスを開催し，倫理的問題に対応ができているからかもしれません．つまり，測定が容易な指標によって，コンサルテーションそのものの質を測れるとは限らないのです．今後，よりよい評価方法を作り上げていくためには，各病院の倫理コンサルテーションチームが，自分たちで決めた手順に沿って評価を行い，そうした評価にもとづく改善の成果を，院外へ発信していくことが大切です．

---

7 Nagao N, Takimoto Y. Clinical Ethics Consultation in Japan：What does it Mean to have a Functioning Ethics Consultation? Asian Bioeth Rev. 2023；16（1）：15-31.

4章 ここがポイント！

- 病院のスタッフや利用者への責任を果たし，倫理コンサルテーションの質を向上させるために，定期的に評価を行いましょう．
- 個別の倫理コンサルテーション終了時に評価を行うとともに，一定期間ごとに活動全体の評価も実施しましょう．
- 評価は，倫理コンサルテーション実施記録とフィードバックシートをもとに，構造，プロセス，アウトカムの観点から行いましょう．
- 自分たちの病院にどのような評価基準が適しているのかを定期的に話し合い，積極的に院外へ発信しましょう．

COLUMN

ミーティング参加者が発言しないのは感受性に欠けるから？

本書では，ミーティングへの参加者が全員発言していることを，評価の一つのポイントとしています．しかし実際に開催してみると，発言しない参加者もいるでしょう．そうした背景には，感受性の欠如もあるでしょうが，それ以外の要因を考えてみることも大切です．多くの若いスタッフは，臨床現場に入る前に倫理教育を受けています．ですので，発言しないのは，問題を感じないからではなく，ベテランスタッフに遠慮しているためかもしれません．また，病棟という場所になじみのない検査技師や事務スタッフなどは，疎外感を感じているために，意見を述べられないのかもしれません．こうした要因を放置すると，倫理コンサルテーションの質はますます低下することになります．倫理コンサルタントは，折に触れて「○○さん，何か意見はありますか」と問いかけるなどして，参加者が意見を述べやすい雰囲気を作りながら，ミーティングを進めていく必要があります．

5章 倫理コンサルテーションと関係した活動

倫理に関係する院内活動は，倫理コンサルテーションだけではありません．そうした活動の代表は，院内指針の作成と，院内スタッフを対象とした教育です[1]．これら三つの活動は，アメリカにおいて，臨床倫理委員会の主要な活動とされており，それぞれが密接に関係しています．実際，適切な院内指針の作成と充実した教育体制の構築は，倫理コンサルテーションが適切に行われる上で大切な役割を果たします．しかしながら，日本では，大学病院のような高度な医療機関の臨床倫理委員会においても，指針の作成や臨床倫理教育に必ずしも十分に取り組めていないことが指摘されています[2]．本章では，これら二つの活動が，なぜ倫理コンサルテーションにとって重要なのか，さらには，具体的にどのようにこれらの活動を行っていけばよいのかを説明します．

1 院内指針の作成・検討

① 院内指針の基本的な特徴―二つの方向づけ―

指針という言葉は，進むべき方向を指し示すものを意味します．そうした方向づけは，何をすればよいのか（してはいけないのか）を実質的に示すことによってなされる場合もあれば，適切な行為を決めるためのプロセスを示すことによってなされる場合もあります．例えば，人生の最終段階における医療・ケアの指針が，どのような条件を満たした時にどのような選択肢が正当であるのかを示していれば，前者の意味での指針になりますし，どのようなプロセスを経れば行為は正当化されるのかを示していれば，後者の意味での指針となります．

倫理的問題に悩む多くの医療・ケア従事者が求めるのは，実質的な方向づけを示す指針です．というのも，そうした指針を見れば，何をすればよいのかを明確に理解することができると思われるからです．しかし，実質的な方向づけには，しばしば曖昧さが含まれます．厚生労働省による「人生の最終段階にお

---

1 他の部署で作成した指針等について相談を応じる活動は，第1章で説明した「ケース外倫理コンサルテーション（non-case ethics consultation）」に含まれます．本章における指針の作成や教育は，臨床倫理委員会に代表される倫理支援担当者が主体となって取り組む活動です．

2 Takeshita K, Nagao N, Kaneda H, et al. Report on the Establishment of the Consortium for Hospital Ethics Committees in Japan and the First Collaboration Conference of Hospital Ethics Committees. Asian Bioeth Rev. 2022；14（4）：307-316.

ける医療・ケアの決定プロセスに関するガイドライン」を例に，考えてみましょう．この指針では，積極的安楽死が認められないこと，患者が人生の最終段階にあり，本人が希望している場合には，医療・ケアの不開始や中止が認められることが示されています．これらの点を踏まえるなら，この指針は実質的な方向づけを含むと言えるでしょう．

しかし，目の前にいる患者が「人生の最終段階」にいるかどうかを判断するのは容易ではありません．実質的方向づけは，必ずしも具体的な行為と結びつくわけではないのです．このとき重要な役割を果たすのが，プロセス的な方向づけ，しかも，さまざまな人が話し合うというプロセスを通じた方向づけです．というのも，倫理的に適切な行為は，「私」や「あなた」だけに受け入れられるものではなく，「さまざまな人」に受け入れられるはずであり，本当に受け入れられるかどうかは，さまざまな人が面と向かって話し合うことによってのみ分かることもあるからです．実際，先ほど挙げた厚生労働省のガイドラインの解説では，「どのような状態が人生の最終段階かは，本人の状態を踏まえて，医療・ケアチームの適切かつ妥当な判断によるべき」[3]とされています．

以上のことから明らかなように，実質的な方向づけとプロセス的な方向づけは，一つの指針の中で並存することができます．しかもこうした並存は，決して珍しいことではありません．「利益」や「危害」など，倫理的判断と密接に関連する概念が何を意味するのかは，具体的な場面の中で明らかになるため，あらかじめ指針において具体的に説明することは困難です．そのため，倫理に関する指針は，そうした概念が適切に具体化されるためのプロセスを，話し合いという形で含む必要があります．さらに，医療・ケアチーム内部の対立が深刻になりうる場合や，医療・ケアチームと社会との間に対立が生じうる場合には，倫理コンサルテーションチームや倫理委員会をプロセスに関与させることで，問題が深刻化するのを避けることができるでしょう．

なお，ここでは，臨床倫理委員会自らが主体となって院内指針を作成することを念頭に説明を行いますが，他の組織が作成する場合でも，同じステップを辿るとよいでしょう．また，指針を作成する上で，倫理コンサルテーションチームの経験は貴重なデータとなりますし，指針の内容は，コンサルテーション活動にも影響を与えます．コンサルテーションチームも指針の作成には積極的に参加しましょう．

② 院内指針はなぜ大切なのか

院内指針を作成する理由は数多くありますが，ここでは，倫理コンサルテー

3　厚生労働省．人生の最終段階における医療・ケアの決定プロセスに関するガイドライン 解説編．2018, p.3.「人生の最終段階」に関しては，『ケースブック』第2章で詳細に説明をしています．

ションの観点から主要なものをいくつか挙げます.

▶ **スタッフの対応力向上**

指針において判断を導くまでのプロセスが明確にされ，共有されることによって，依頼者の中心を占める，医療・ケアスタッフやチームが自ら倫理的問題に対して適切に対応できるようになります．例えば，身体拘束の指針を通じて，身体拘束がどのような条件のもと，どのようなプロセスを経ない限り認められないのかを示しておけば，医療・ケアチームは，自ら問題に取り組むことができるようになるのです．また，現場の対応能力が高まれば，倫理コンサルテーションチームは，より困難な事例に集中することができます.

▶ **対応速度の向上**

指針において判断を導く基準とプロセスが定まっていることにより，コンサルテーションを通じて結論を出すまでの時間を短縮することができます．例えば，救急に運ばれてきた未成年の患者に対する輸血を，親が拒否している場合を考えましょう．このとき，あらかじめ輸血拒否に関する指針を作成しておけば，医療・ケアチームと倫理コンサルタントは，限られた時間の中で適切に対応することが可能になります.

▶ **社会的規範に合致した結論の保障**

病院で行われる判断も，社会において行われる判断である以上，社会で受け入れられている倫理的・法的な基準に適うものでなければなりません．指針という形で法的・倫理的基準をあらかじめ明示しておけば，経験の浅いコンサルタントであっても，この要求に応えることができます.

▶ **スタッフへの教育効果**

困難な問題が生じやすいテーマ（BOX1）に関して指針を作成し，スタッフへ周知することにより，スタッフは，倫理的問題とはどのようなものなのか，また，どのようなときに倫理コンサルテーションへ依頼をすればよいのかを理解することができます．慎重な対応が必要な問題に関しては，倫理コンサルテーションへの依頼を指針の中で推奨ないしは義務としておくことで，スタッフは，適切に倫理コンサルテーションへ依頼することができます.

院内指針でとりあげられる可能性のあるテーマ

- 宗教的信念にもとづく治療への不同意
- 人工的水分・栄養補給（例：胃ろうなど）
- 緩和ケアにおける鎮静
- 事前指示
- アドバンス・ケア・プランニング

- DNAR（Do Not Attempt Resuscitation，心肺蘇生を行わないという指示）
- 身体拘束
- インフォームド・コンセント
- 自主退院

③ 院内指針を作成するステップ[4]

▶提案

指針作成の提案者として想定されるのは，問題に直面した医療・ケアチームやそのメンバー，そうした問題を検討した倫理委員会や倫理コンサルテーションチーム，さらには病院の責任者などです．ただし，院内スタッフであれば，だれでも指針の作成を提案できるようにしておきましょう．提案を受けた倫理委員会は，具体的な指針案の作成に着手する前に，以下の点を確認するようにします（表1）．

表1　指針案作成にさいしての確認点

重要性	依頼された指針を作ることは，倫理的な観点からみて重要か．
権限	依頼された指針を作ることは，倫理委員会の権限に含まれているか．
必要性	依頼者は，個別の事例の解決に留まらず，解決に寄与する指針の作成を求めているか．
実効性	依頼された指針を作ることで，臨床現場に意図した通りの影響を与えることはできるか．

倫理委員会は，上記の基準に従った検討結果を，依頼者に伝えます．他の部署に依頼するのが適切であると判断した場合には，その部署の情報もあわせて知らせましょう．また，指針の作成を決定した場合には，病院の責任者へ報告し，事前に理解を得ておくことも大切です．

▶指針案の作成

次のステップは，指針案の作成です．倫理委員会か，委員会のもとに設置されたワーキンググループが案を作成します．倫理委員会の人数が多い場合には，ワーキンググループを設置する方がよいでしょう．こうすることで，一定の期間内に議論を深めた上で指針案を作成することができます．また，指針で扱う

4　以下に述べるステップは，ドイツの学会である医療倫理学術協会のワーキンググループ「医療施設における倫理コンサルテーション」が発表した，「医療施設における倫理指針作成のための勧告」を下敷きにしています．Neitzke G, Annette R, Brombacher L, et al. Empfehlungen zur Erstellung von Ethik-Leitlinien in Einrichtungen des Gesundheitswesens. Ethik in der Medizin 2015；27（3）：241-248.

テーマの専門家や，指針作成を提案した人を検討メンバーに加えることで，完成度の高い案が作成できる場合もあります．

作成メンバーが確定したら，必要な情報の収集を最初に行います．具体的には，表2に示すような情報が必要です．

表2　指針案作成にさいして必要な情報

- 病院の責任者や現場のスタッフは，指針で扱われる問題に，どのように対応してきたのか．
- 指針にどのようなことが期待されているのか．
- だれのために（例えば，スタッフ，家族，社会）指針を作成するのか．
- 一般社会や専門家のあいだでは，どのような議論が交わされてきたのか．
- どのような法が関係しているのか．
- 専門職のルールの中に，関係しているものはあるのか．

このような情報収集を経た上で，指針案を作成します．作成のさいには，表3に示す項目を考慮しましょう．➡巻末付録に収めた「身体的拘束最小化のための指針」において，各項目がどのような形で指針に含まれているのか確認しましょう．

表3　指針案作成にさいして考慮する項目

必ず入れる項目	必要に応じて入れる項目
• 指針のタイトル • 指針が取り扱う領域 • 関連する倫理的価値および原理 • 指針が適用される対象と責務（誰がどのような場合に何をしなければならないのか） • 判断の基準と，とりうる選択肢	• インフォームド・コンセントに関する事項 • 指針の執筆者と作成までのプロセス • 指針を必要とする背景 • 関連する法 • 支援を得られる院外の機関，施設，相談所，役所など． • 参考にした資料

なお，長大な指針は，多忙な現場では機能しない可能性があります．指針案は適度な長さに収めるようにしましょう．

▶指針案の検討

できあがった指針案をよりよいものにするために，さらに多くの観点から検討します．ワーキンググループが案を作成したのであれば，倫理委員会の全メンバーで検討する必要がありますし，病院の責任者や，指針によって影響を受ける病院スタッフに対しても，案を説明し，意見交換をしておきましょう．検討のさいには，表4に示す問いが重要になります．

表4　指針案の検討ポイント

- 指針案は，医療・ケアスタッフにとって，どの程度助けになり，作成の目的を達成できるのだろうか．
- 実際に現場で利用可能なものだろうか．
- 関連する他の委員会と調整する必要はないだろうか（特に患者安全部門等）
- 指針案は，院内の他の指針と整合しているだろうか．

影響を受けるスタッフに関しては，作成のプロセスに入ってもらい，上記の問いに関して一緒に議論するのも一案です．こうすることにより，指針自体の質が向上するだけではなく，最終的にできあがった指針が現場に受け入れられ，活用される可能性も高まります．ただし，影響を受けるスタッフの数があまりにも多い場合には，院内に案を周知し，意見を募集する形がよいでしょう．具体的には，ウェブフォームを活用して院内からの意見を集約し，意見の異なる職員を登壇者とした院内シンポジウムを開催することが考えられます．

▶導入と評価

委員会がまとめた指針案は，病院の運営会議などで承認を得たのち，正式な指針となります．しかし，せっかく導入したとしても，スタッフが知らなかったり，知っていても活用しないのでは意味がありません．こうした事態を避けるために，倫理委員会では，指針を現場に浸透させるための方法も検討しましょう（BOX2）．

指針を周知する方法

- 定期的に開かれる会議で紹介する．
- 指針に関するパンフレットを作成する．
- メールやサイト（場合によっては院内限定）に掲載する．
- 新人スタッフ研修で紹介する．
- 作成した指針に関連した講演会やカフェを開催する．

＊取り組みやすいものから挙げています．

指針導入後一定の期間を過ぎたら（おおよそ1年），利用状況を確認します．指針がほとんど知られていなかったり，活用されていない場合には，関係者へのインタビューを通じて原因を明確にする必要があります．また，すでに繰り返し述べてきたように，院内指針は社会において受け入れられている倫理的・法的基準と密接に結びついていますので，院外における議論の変化に応じた改訂も行うようにしましょう．

2 教育

① 倫理コンサルタントが教育に携わる二つの意義

院内指針は，病院としての方針を意味します．そのため，病院の執行部とも連絡をとりやすい臨床倫理委員会が主体となって作成するのが基本となります．他方，教育活動に関しても，臨床倫理委員会や教育活動を担う部署が責任を負うため，倫理コンサルテーションチームが教育活動の主体になるとは限らないでしょう．しかし，院内指針を作成する上で倫理コンサルタントの活動が貴重なデータを提供するように，教育活動においてもコンサルタントは重要な役割を果たすことができます．というのも，倫理コンサルタントの関与により，スタッフは，現場においてどのような倫理的問題が生じており，どのように解決すればよいのかを知ることができるからです．このようなプロセスを通じて倫理的対応力が向上すれば，スタッフは，より多くの問題を自ら解決できますし，困難な問題を迅速にコンサルテーションサービスへつなげることができます．また，これにより，倫理コンサルタント自身も，院内で生じる困難な事例に集中することができるのです．

さらに，倫理コンサルタントが関与することには，倫理コンサルテーションの今後を担う人材を発見するという側面もあります．専門職の中には，基礎教育以上の倫理教育を受けてきた人もいます．こうした人がコンサルテーションチームに加われば，院内外の教育の機会を利用しながら，実際のコンサルテーションを経験することで，必要な能力を身につけられるでしょう．例えば，専門看護師（CNS）は，「個人，家族及び集団の権利を守るために，倫理的な問題や葛藤の解決を図る．(倫理調整)」[5] ことを役割の一つとしています．そのため，認定を受けるには，倫理調整についての実務研修が求められています．その他にも，個人的に倫理に関心があり，勉強をしているスタッフもいるかもしれません．こうした「コンサルタントの卵」と出会うためにも，コンサルタントが倫理教育に携わることは大切なのです．

② 院内における倫理教育

▶勉強会

臨床倫理に関連したトピックに関する勉強会を定期的に開催します．臨床倫理の基礎を身につけた院内スタッフによるレクチャー，匿名化した事例に関する検討会，臨床倫理に関する文献や映像教材を用いたディスカッションなど，さまざまな形で実施することができます．➡第7章では，教育に使うことのできる文献や映像教材の情報を掲載していますので参考にしてください．

5　日本看護協会．専門看護師．https://www.nurse.or.jp/nursing/qualification/vision/cns/index.html

勉強会でとりあげるトピックス

- 患者の自己決定をめぐる問題：事前指示，認知症患者，精神疾患患者，小児など
- 臨床現場における DNAR の問題
- 治療中止と不開始をめぐる問題
- 宗教上の信念にもとづく治療への不同意
- 個人情報保護，守秘義務
- 院内の事例や報道された事例

▶講演会・研修会

院内スタッフに対する倫理教育として，講演会や研修会を開催するのもよいでしょう．そのような講演会は，スタッフに広く倫理への関心をもってもらうためにも有用です．こうした倫理研修や講演会の開催は，施設が日本医療機能評価機構からの認定を受ける上でも求められています[6]．もし院内スタッフのみでは十分な教育効果をもった講演会を行えない場合には，外部から講師を招くのもよいでしょう．

しかし，全スタッフを対象に講演会などを開催したとしても，スタッフの参加率が低ければ意味がありません．倫理研修自体を義務化している病院もありますが，こうした対応が難しい場合には，受講率が高い他の研修と一緒に開催することにより倫理研修への参加率を上げることも考えられます．例えば，患者安全（医療安全）管理や感染管理に関する研修は，医療法（第 6 条の 12）によって義務づけられているため，多くの病院で年数回開催され，スタッフの出欠も厳しく管理されています．こうした研修会の中で短時間（15 分程度）でも時間をもらい，倫理研修として利用するとよいでしょう．さらに，共通のテーマを設定することも考えられます．例えば,「患者安全のためのインフォームド・コンセント」というテーマであれば，倫理的観点にもとづく解説を入れることができますし,「コンフリクト・マネージメントと倫理コンサルテーション」というテーマであれば，倫理コンサルテーションの意義についてスタッフと共有できる機会になります．

もう一つの方法は，倫理研修を，専門医の講習や専門・認定看護師の講習，院内看護ラダーの一部に位置づけることです．こうすることにより，倫理研修へ参加するスタッフのインセンティブを高められるでしょう（BOX4）．

---

6 最新の評価項目（3rd Generation Ver. 3.0）では，「職員への教育・研修が計画に基づいて継続的に行われている」ことが評価の視点として挙げられています．

資格の認定・更新と医療倫理

専門医の認定・更新

日本専門医機構では，専門医の認定や更新にさいして求める専門医共通講習として，医療倫理を必修にしています．専門制度における基幹施設・連携施設は，日本専門医機構に申請することにより，専門医共通講習を開催することができます．単位認定には一定の条件（1単位の認定に1時間以上の研修が必要，30名以上の参加が見込める，施設外からの参加も認めるなど）がありますので，詳細は日本専門医機構のホームページを確認してください．

専門・認定看護師，認定看護管理者の認定・更新

アドバンストレベルとなる専門・認定看護師，認定看護管理者の教育課程は，医療倫理，看護倫理を必須の科目としています．また，更新のためには，教育，研究，社会貢献などの活動実績が必要とされます．臨床倫理に関する院内・院外の研修を企画したり，そうした研修へ参加することは，活動実績として認められる可能性があります．ただし，「認定看護分野に関する最新の情報・知識・技術の修得のための研修プログラムへの参加」といった条件が付いていますので，企画する研修が条件を満たすかどうかを慎重に検討しましょう．詳細は日本看護協会のホームページを確認してください．

▶オンデマンド学習

多忙な医療・ケアの現場において，勉強会や講演会・研修会は，多くの場合，勤務時間外に開催されてきました．しかし，働き方改革が進められる中で，こうした形での開催は困難になっています．このような状況でも利用可能な教育ツールとして，パソコンやスマートフォンを介したオンデマンド学習が挙げられます．過去に録画した研修映像やそのさいに使用したスライドを院内のみのネットワーク（イントラネット）を通じて見られるようにしたり，病院が契約をしているEラーニングに含まれる医療倫理の講義を利用することなどが，考えられます[7]．オンデマンド学習は，対面型の学習とは異なり，対話や議論をする機会はありません．しかし，個々の医療・ケア従事者は，繰り返し視聴することにより，倫理の知識や自分の判断の妥当性などを何度も振り返ることができます．

7　例えば，日本臨床倫理学会は，「オンライン臨床倫理レクチャー教材」を公開しています．また，看護師を対象に，インターネットを通じた講義配信を行なっている「学研ナーシング」では，倫理を扱った講義を数多く視聴することができます．

▶ **情報提供**

病院には，多くの場合，医療・ケアスタッフをメンバーとするメーリングリストが開設されています．そうしたメーリングリストを通じて，実際に生じた事例を匿名化したうえで周知したり，各地で開催される臨床倫理関連の講習会情報を提供するとよいでしょう．倫理委員会や倫理コンサルテーション担当者が，臨床倫理に関する院内報を定期的に発行することも考えられます．

いずれの方法についても，教育の対象は基本的に院内スタッフです．しかし，可能であれば，院外の医療・ケア従事者にも教育の場を開放しましょう．というのも，今後の日本では，地域における医療・ケアが非常に重要であるにもかかわらず，そこで活動する医療・ケア従事者は，倫理的問題に直面した場合，病院以上に孤立した状況に置かれがちだからです[8]．

③ 院外リソースの活用

院内の倫理コンサルテーションに関わるスタッフに対する教育としては，院外リソースの利用が考えられます．これから倫理コンサルテーションを始めるスタッフだけではなく，すでに一定の能力と経験をもったスタッフにも役立つものがあります．こうしたリソースを活用することは，院外とのネットワークを作るきっかけにもなりますので，積極的に参加しましょう．

▶ **短期集中プログラム**

日本において臨床倫理を学ぶことのできるプログラムとして，表5に掲げたものが開催されています．残念ながら，日本におけるプログラムの数はまだ非常に少なく，受講人数の制限もあるため，応募しても参加できないことがあります．また，それぞれのプログラムの内容もさまざまなので，申込みをするさいには，内容についても確認しておくことが大切です．

8 病院機能評価では，「地域に向けて医療に関する教育・啓発活動を行っている」（1.2.3）ことが評価項目として挙げられ，「患者・地域住民や，地域の医療関連施設等に向けた教育・啓発活動が病院の役割・機能に応じて実施されていること」が評価の視点になっています．

表 5　臨床倫理を学べるプログラム一覧

日本臨床倫理学会
2016 年度から臨床倫理認定士（臨床倫理アドバイザー）の養成コースを開催しています．3 日間の研修に参加し，課題を提出することで，学会認定臨床倫理認定士の資格を得ることができます．倫理コンサルテーションに必要な基本的な知識を効率的に学習できるのが特徴です．さらに，臨床倫理認定士取得者を対象とした 2 日間の研修を修了することで，上級臨床倫理認定士に認定されます．上級臨床倫理認定士は，(1) 臨床の現場で倫理コンサルテーションや倫理カンファレンスをコーディネートし，実施，その内容を臨床に還元する，(2) 組織や地域における倫理的対話の仕組みやルール作りの中核的な役割を果たす能力を有するとされています． 【連絡先】https://c-ethics.jp/
京都大学応用哲学・倫理学教育研究センター
臨床倫理学の入門コースと応用コースが開催されています．入門コースは，倫理的問題を検討するために必要な倫理原則，法律や裁判事例などの法的知識などを学ぶことができる講義と，倫理コンサルテーションチームの一員として事例を分析し，助言内容を作成するグループワークから構成されています．応用コースでは，倫理コンサルテーションチームとして実践的な対応策を提案するための方法を学ぶことができます． 【連絡先】http://www.cape.bun.kyoto-u.ac.jp/
東京大学死生学・応用倫理講座 臨床倫理プロジェクト
清水哲郎氏（岩手保健医療大学客員教授）が主宰する，臨床倫理に関する研究・実践活動です．このプロジェクトは，日本の文化に合った倫理の考え方と検討法を見出すことや，それを普遍的に理解できる言葉で表現することを目的としており，その一環として，臨床倫理セミナーという研修会（通常は 1 日）を開催しています．また，臨床倫理のファシリテーター養成も行われています． 【連絡先】http://clinicalethics.ne.jp/cleth-prj/
九州山口臨床倫理 A to Z
熊本大学大学院生命科学研究部生命倫理学分野，医療法人社団寿量会熊本機能病院，社会医療法人博愛会相良病院，宮崎大学医学部社会医学講座生命・医療倫理学分野が中心となり，九州地区（主に宮崎，熊本，鹿児島）で開催されている 1 日から 2 日間の臨床倫理のコースです．この集中講座は，臨床倫理の教育・研究・実践に第一線で従事している人材を講師とし，事例を倫理的な観点から検討するのに必要な知識・技能の他，終末期医療やアドバンス・ケア・プランニング等のレクチャーから構成されています． 【連絡先】y-kad@kumamoto-u.ac.jp（熊本大学大学院　門岡康弘）
神経難病緩和ケア研修会
2 日間の研修プログラムで開催されています．セミナーでは，治癒困難な神経難病患者をケアするさいに生じる倫理的問題が扱われます．具体的には，告知，胃瘻の是非，人工呼吸器装着および離脱にまつわる問題などを，ロールプレイ，スモールグループディスカッションを通じて，参加者とともに考えます．取り上げられる問題は，神経難病患者に限って生じるものではないため，医療倫理・臨床倫理に関心のある人にも十分意味のある内容となっています． 【連絡先】nanbyo_info@nanbyokanwa.com（神経難病緩和ケア研究会）

▶大学院プログラム

臨床倫理コンサルテーションについて学べる日本の大学院は多くありません．宮崎大学大学院医学獣医学総合研究科修士課程「生命倫理コーディネーターコース」は，臨床研究における倫理ガバナンス，並びに臨床現場における倫理支援を担いうる人材育成を目的とした教育プログラムです．座学では，生命倫理及び基礎医学に関する知識，医療関連法規等を学び，演習ではさらに専門的な倫理学的方法論，倫理的推論のプロセス，並びに倫理コンサルテーションのスキルを修得します．修了生は，最新の医事関連法や省庁の倫理指針等にも精通し，それらを迅速に研究や臨床の現場へフィードバックすることにより，組織の倫理支援体制における中心的役割を担う高度専門職として活躍することが期待されます．東海大学大学院医学研究科は，文部科学省次世代のがんプロフェッショナル養成プランとして，「がん患者の倫理・社会的問題に対する支援者養成コース」を設置しています．がんの医療・ケアに関わる倫理的，社会的問題について学び，臨床倫理コンサルタントとして必要なコンピテンシーを獲得するとともに，臨床倫理コンサルタントとして臨床倫理支援を実践できるだけでなく，患者・家族支援や社会的資源の活用を通じた実際の問題解決を促進できる技能を身につけることができるとされています．

5章 ここがポイント！

- 院内指針を作成することにより，スタッフ自らが倫理的問題を解決できるようになったり，現場で勝手に判断してしまうのを防ぐことができます．
- 院内指針の作成は，必要な情報の収集を含め，プロセスに従って進めましょう．
- 院内指針を作成したあとも，利用の状況や社会の変化も踏まえ，定期的に見直しをしましょう．
- 院内教育に倫理コンサルタントが関わることにより，現場の倫理的対応力が向上したり，倫理コンサルタントの担い手を発掘できます．
- 院内でさまざまな倫理教育を実施することにより，多くの院内スタッフに倫理的問題への関心を育んでもらいましょう．
- 倫理コンサルテーションチームのメンバーが院外の倫理研修に参加することは，能力を向上させるためだけではなく，院外にネットワークを作る上でも重要です．積極的に参加しましょう．

COLUMN

行政のガイドラインと学会のガイドライン，どちらを参考にすればいいの？

同じようなテーマについて，厚生労働省と学会等の組織がガイドラインを出している場合があります．このような場合，臨床の現場において実際に判断を下したり，院内の指針を作成するさいには，行政のガイドラインで，一番新しいものを参考にするのが適切でしょう．基本的に，行政ガイドラインは，学会のガイドラインよりも上位の規範性をもつからです．ですから，あるテーマに関して学会が出しているガイドラインを参考にする場合にも，同じテーマを扱った行政ガイドラインがないのかどうか，また，あった場合には，学会ガイドラインと相反する内容が含まれていないのかどうか，確認するようにしましょう．

memo

6章 病院外の活動

現在，倫理コンサルタントは，病院の外に出て活動することが期待されています．その理由は二つあります．一つは，院外で生じる倫理的課題に対応する「院外倫理コンサルテーション」が社会的に求められているからです．もう一つは，院外での意見交換，ノウハウの共有が，院内のコンサルテーションの質を保証し，改善する上で重要な役割を果たすからです．本章では，院外の倫理コンサルテーションをどのように始めればよいのかを説明するとともに，日本における院外ネットワークの状況を概観します．

1 院外倫理コンサルテーション

① 院外倫理コンサルテーションが望まれる背景

近年，地域包括ケアシステムが全国に広まり，在宅医も含め，さまざまな職種の医療・ケア従事者が患者・利用者の自宅や介護施設で活動しています．医療・ケアを受ける人も，高齢者だけではなく，がんや難病の人，医療的なケアを要する重度障害児など，さまざまです．こうした活動の中では，当然ながら病院と同じく多くの困難な倫理的問題が生じています．しかし，一般的に，病院と比較した場合，在宅医療の現場において，患者や利用者に関わる医療・ケア関係者自身が問題を解決するのはより困難であると考えられます．以下，自宅と施設それぞれについて，その理由を述べます．

訪問診療や訪問看護など，医療・ケアが自宅において提供される場合，患者に携わる関係者が倫理的な問題を共有し，話し合う場をもつこと自体がそもそも難しいように見えます．一人の患者に関わる複数の専門職は，多くの場合，医師はA診療所，看護師はB訪問看護ステーション，薬剤師はC薬局というように，それぞれ別の組織に所属しています．しかも，各職種はそれぞれ一人で患者に関わることが多く，自宅で多職種が顔を合わせる機会は少ないと思われます．

他方，介護施設の場合，多くの人が一人の利用者に関わるものの，問題を解決できるだけの人的スタッフを揃えることは非常に困難です．100床を超える特別養護老人ホームや老人保健施設は珍しくありませんが，医師の数が少ないことで十分な医学的検証を踏まえた議論を行うことは困難かもしれません．また，介護施設の職員のうち多数を占め，利用者にとって最も身近な存在である介護職が,「医療・ケアの意思決定を行うのはあくまでも医師や看護師などの医療職である」という認識のもと，とくに医療に関連する倫理的な問題について関心が乏しいという指摘や[1]，関心をもっていたとしても，専門的なアドバイスを受けるためのルートが少ないという指摘がなされてきました[2]．その結果，医療職が特定の価値観を押し付けているにもかかわらず，介護職から反対意見が出にくいことがあるかもしれません．

こうした状況に対する解決策の一つとして考えられるのが,「院外倫理コンサルテーション」です．院外倫理コンサルテーションとは，病院の外部において生じる倫理的問題を対象としたコンサルテーションサービスを意味します．実際，いくつかの研究では，こうしたサービスに対するニーズが示されています．介護施設を含む在宅医療・ケアに従事している人を対象とした質的研究によると[3]，参加者は，日常の医療・ケアの中で気軽に相談したり，第三者も参加して多職種が話し合うことができる場を望んでいました．また，在宅医療・ケアに関わる医師と看護師を対象とした質問紙調査では，地域において在宅医療・ケアと臨床倫理に通じた人材が参加して多職種が話し合うことが求められていました[4]．

② 設置主体

病院とは異なり，院外で倫理コンサルテーションを開始するさいには，そもそもどのような組織に設置するのかを決める必要があります．ここでは，病院内の倫理コンサルタントが院外倫理コンサルテーションを始める場合を前提として，4 種類の設置主体に関して三つの視点から説明をします．一つ目の視点は，倫理コンサルテーションに必要な能力をもつ人材や異なる背景をもつ人材を集められるのかということです．二つ目の視点は，依頼する上で重要な要因である，地域の医療・ケア従事者との良好な関係をもっているのかということです．三つ目の視点は，設置しようとする組織の責任者の理解を得られるのかということです．すでに述べたように（➡第 2 章 - ❸ - ①），設置にあたっては，責任者が活動の意義を理解し，サポートすることが必要です．

▶病院

現在のところ，倫理コンサルテーションは，病院を中心に設置が進んでいま

---

1 小形香織，竹下啓，有田悦子．胃瘻造設の意思決定に関する高齢者介護施設職員の実態調査．臨床倫理 2017；5：27-36.
2 竹下 啓．介護施設の倫理カンファ．Modern Physician 2018；38（1）：67-70.
3 竹下 啓，長尾式子，堂囿俊彦，他．在宅医療・ケアに携わる専門職が直面している倫理的問題と望まれる倫理支援．臨床倫理 2023；11：16-33.
4 Takeshita K, Nagao N, Dohzono T, et al. Ethical issues faced by home care physicians and nurses in Japan and their ethics supports needs：a nationwide survey. Asian Bioeth Rev. 2023；15：457-477.

す．こうした現状を踏まえるなら，自らが携わっている院内の倫理コンサルテーションサービスを院外に開く方法が考えられます．日本臨床倫理学会臨床倫理登録病院・地域制度の「地域」として登録されている活動では，多くの場合，病院が大きな役割を果たしています．自分が運用してきた仕組みを外に開く方法であれば，基本的にこれまでのコンサルテーションを拡張する形で院外からの依頼に対応することができます．

ただし，地域の医療・ケア従事者との関係については，注意が必要です．というのも，病院と地域それぞれで働く医療・ケア従事者が接する機会は，一般的に必ずしも多いとは言えないからです．地域の訪問診療所や訪問看護ステーションで働く医療・ケア従事者の中には，病院には相談しにくいと思って相談をためらう人もいるかもしれません．在宅医療・ケアにおいては，医学的な情報が必ずしも十分に収集できない中で，医療・ケアの方針決定をせざるをえないこともあります．また，病院では医学的観点から当然に行われる検査や治療であっても，自宅での療養を優先したいという患者の意向や価値観が尊重され，行われないこともあります．こうした違いを踏まえずに院外倫理コンサルテーションを行えば，依頼者と倫理コンサルテーションチームの関係は損なわれます．地域の医療・ケア従事者との間に良好な関係を構築するための方策としては，地域に開かれた倫理カンファレンスや勉強会などを定期的に開催することや，地域連携室や退院調整部門など，院内において地域の事情をよく知っている部門の職員にコンサルテーションチームに加わってもらうことが考えられます．

最後に，病院の責任者による理解という点でも，困難に直面する可能性があります．多くの病院は地域住民の健康・福祉の増進を重視していますが，基本的には，自組織が関わる医療・ケアの提供を通じた増進であり，自組織が関わらない医療・ケアに付随する倫理的課題は対象外であると思われがちだからです．こうした中で院外倫理コンサルテーションを始める一つの方法は，受け付ける依頼を，病院に入院したことのある，あるいは入院する可能性のある患者に限定することです．このようにすれば，院外倫理コンサルテーションを，病院としてよりよい医療・ケアを提供する活動に位置づけることができます．さらに広く，病院とは関係ない患者に関する依頼も受け付けるさいには，病院が地域の医療・ケアに対してどのような姿勢を示しているのか，基本方針や理念等を確認するとよいでしょう．地域で活動する医療・ケア従事者の支援等，地域医療・ケアに対する積極的な姿勢が示されているなら，院外倫理コンサルテーションを実施する理由があると言えます[5]．

5 現在，研究倫理委員会に関しては，多機関共同研究の審査を，一つの委員会において一括で行うことが基本となりつつあります．こうした委員会は，自機関が関わらない研究の審査を有料で行っています．将来的には，院外倫理コンサルテーションに関しても，自施設に関わらない依頼については有料とすることにより，病院の理解を得られる可能性があります．

▶医師会・看護協会

日本では，多種多様な専門職能団体が活動しています．その中でも，医師会および看護協会は，地域住民の健康・福祉の向上を目的としたさまざまな活動を行なっています．院外倫理コンサルテーションを始めようとしている倫理コンサルタントが医師会・看護協会に属しているなら，そうした活動の一つとして院外倫理コンサルテーションを開始するように提案することが考えられます．実際，いち早く院外倫理コンサルテーションに取り組んできたドイツでは，医師会が設置主体の一翼を担ってきましたし[6]，日本でも，一部の県医師会・看護協会では，臨床倫理に関する事例検討を行っていることが明らかになっています[7]．

職能団体を設置主体とする場合に気をつけなければならないのは，医師や看護師のみの倫理コンサルテーションチームにしないことです．現在では，医師会・看護協会において，研修会など，職種間の連携を推進する取り組みが行われていますので，そうした場を利用して，別の職種の人がチームに参加するように働きかけてみましょう[8]．参加した人が倫理コンサルタントに求められる能力を身につける必要がある場合には，教育プログラム（➡第5章 表5）への参加を支援する必要があります．ただし，先の調査では，医師会・看護協会において倫理に関する研修会が幅広く行われていることも明らかになっていますので，こうした研修会を通じて，倫理に関して既に一定の知見をもつメンバーを探すことを検討してもよいかもしれません．

また，医師会や看護協会が職能団体であるということは，地域の医療・ケア従事者との関係にも影響を及ぼします．これらの団体は，自らが開催する研修会等を通じて，構成員である医師や看護師との間では一定の関係を構築できていると考えられます．しかし，職種を跨いだ場合も同じことが言えるのかは必ずしも明らかではありません．例えば，医師以外の医療・ケア関係者にとって，自らが抱えている倫理的問題を医師会の窓口に相談するのは難しいかもしれません．こうした事態を避けるためには，地域における医療と福祉の連携を推進する目的で設置されている委員会や，医師会・看護協会が主催する多職種を対

---

6 Seifart C, Simon A, Schmidt KW. Entwicklung der ambulanten Ethikberatung：Verstärkte telefonische Beratung und bessere Finanzierung gefordert. Hessisches Ärzteblatt 2020；81（3）:174-176. 調査を通じて明らかになった57の院外倫理コンサルテーションプロジェクトのうち，18.5%が医師会を設置主体とするものでした．

7 三浦靖彦，堂囿俊彦，長尾式子，他．地域における臨床倫理コンサルテーションに関する実態調査—都道府県医師会および看護協会を対象とした実態調査—．第34回日本生命倫理学会年次大会．2022年，兵庫．アンケートに答えた16の医師会，27の看護協会のうち，2つの医師会，12の看護協会が「臨床倫理関する症例検討会」を実施していると回答しました．

8 厚生労働省は，2015年より，地域支援事業の一つとして在宅医療・介護連携推進事業を行っています．この事業を推進する自治体には，地域の医師会等と協力することが求められており，医師会が研修会を実施しているケースも見られます．厚生労働省老健局老人保健課．在宅医療・介護連携推進事業の手引き Ver.3．2020.

象とした研修会において，倫理コンサルタント自らが仕組みの説明を行うなど，できるだけ相談しやすい土壌作りをすることが大切です．

最後に，組織の責任者の理解を得るために説明をするさいには，病院の場合と同じく，院外倫理コンサルテーションが組織の目的に適っている点を指摘するとよいでしょう．多くの医師会や看護協会は，地域住民および会員（医師や看護師）の健康・福祉を保護し，増進することを目的として掲げています．院外倫理コンサルテーションは，その活動を通じて，地域住民はもちろん，専門職団体の構成員である医療・ケア従事者の負担軽減に寄与すると考えられます．

▶地域包括支援センター（地域ケア会議）

高齢化が進む日本において，地域の医療・ケアを考える柱となるのが地域包括ケアシステムです．地域包括ケアシステムとは，地域の実情を踏まえ，高齢者が，医療や介護が必要な状態になっても，できるかぎり住み慣れた地域において，本人の有する能力に応じ自立した生活を続けることができるように，医療・介護・予防・住まい・生活支援が包括的に確保される仕組みを意味しています．

地域包括ケアシステムを支える組織の一つとして，地域包括支援センターが挙げられます．センターは，「地域住民の心身の健康の保持及び生活の安定のために必要な援助を行うことにより、その保健医療の向上及び福祉の増進を包括的に支援すること」（介護保険法第 115 条の 46）を目的としており，この目的を達成するための活動の一つとして，地域ケア会議を開催しています．地域ケア会議は，通常，「地域ケア個別会議」と「地域ケア推進会議」に分けられます．地域ケア個別会議は，患者・利用者の医療・ケアに直接携わる関係者だけでは解決が困難な個別の事例に関して話し合う場です．これに対して地域ケア推進会議は，個別的な事例を踏まえ，地域の課題を把握し，地域包括ケアシステム自体を作り上げていく会議です．

これらのうち，院外倫理コンサルテーションの観点で重要なのは，地域ケア個別会議です．➡第 1 章 - ❹では，倫理的問題を 4 つのカテゴリーに区分しましたが，地域ケア個別会議でも，これらのカテゴリーに含まれる問題が話し合われているからです．例えば，北海道の地域包括支援センターを対象とした調査結果によれば，地域ケア個別会議では，「必要と考えられる医療・ケアを拒否する人への対応」，「地域に住む認知症の人への支援」，「家族や近隣住民との間で問題を抱える人への対応」などが話し合われています[9]．これらの問題は，4 つのカテゴリーのうち，①患者・家族等の意向と医療・ケア従事者の意向が対立する場合，②患者の意思決定能力に関して問題がある場合，③患者を中心に医

9　藤井智子，塩川幸子．北海道内の地域ケア会議の実態からみる地域包括ケアシステムの課題．北海学園大学大学院法学研究科論集 2020；21：1-44.

療・ケアの方針を決定することが困難な場合に該当します．このような状況を踏まえるなら，地域ケア個別会議を，院外倫理コンサルテーションとして機能させることができると考えられます．

地域ケア個別会議を院外倫理コンサルテーションとして機能させるさいにも，人材，地域の医療・ケア従事者との関係性，責任者の理解について考える必要があります．先ほどの調査では，地域ケア会議の課題として，医療職（開業医師，病院医師，薬剤師，訪問看護師等）との関係が挙げられています（表 1）．このことは，院外倫理コンサルテーションを担う人材の点でも，依頼のしやすさにとって重要な地域の医療・ケア従事者との関係でも，地域ケア会議が問題を抱えていることを示唆しています．というのも，医療職との関係に問題がある状態では，十分な倫理検討ができない上に，医療職が抱えている倫理的課題が地域ケア個別会議で取り上げられないことになりうるからです．

関係構築を進める上では，例えば，地域包括支援センター主催により，病院の倫理コンサルタントを講師に，臨床倫理の研修会や仮想事例の倫理的検討を行うことが考えられます．そのさいに，地域ケア会議においても倫理的課題を検討できることを周知するとよいでしょう．地域の医療ケアの財政や人員の不足が常に指摘される中，こうしたイベントを開催することに前向きになれないセンター責任者もいるかもしれません．しかし，地域ケア会議を院外倫理コンサルテーションの場として活用することにより，地域ケア会議自体が抱える問題も解決される可能性があります．例えば，倫理コンサルタントとしての教育を受けることは，表 1 で指摘されている「運営技術」の問題解決に寄与すると考えられます．

表 1　地域ケア会議に関して改善したいこと・課題と感じていること[10]

①会議の企画運営	• 計画を立てて定例化したい • 参集職種を広げたい
②運営技術	• 共通認識を持てるような方法や資料を改善したい • 会議に参加しやすい雰囲気づくりや進行の技術を向上させたい
③業務体制	• 人材育成・マンパワーに課題がある
④医療との関係性	• 地域に目が向かない医療職への批判がある • 医療職とのつながりを充実すべき
⑤自治体への批判	• 行政職員への期待と批判 • 保険者としての方向性を示さない苛立ち

10　藤井智子，塩川幸子，前掲論文．掲載にあたり，表を簡略化しています．

▶任意団体

これまで述べてきた方法は，いずれも医療・ケアに関わる既存の組織・仕組みを土台にしていますが，これとは別に，病院の倫理コンサルタント自らが組織を立ち上げ，院外倫理コンサルテーションを実施する方法も考えられます．組織の形態としては，特定非営利活動法人（NPO 法人）のような制度的な組織もあれば，研究会のような私的なグループもあります．

任意団体として開始する最大の利点は，組織の責任者の理解を得なくとも院外倫理コンサルテーションを立ち上げられる点にあります．他方で，この方法では，既存の組織がもつネットワークを活用し，依頼しやすい関係を構築したり，院外倫理コンサルテーションの担い手になりうる医療・ケア従事者に出会ったりすることは基本的にできません．言い換えるなら，人材や地域の医療・ケア従事者との関係など，院外倫理コンサルテーションを機能させるためのインフラを自分たちで揃えなければならないのです．

この問題をできるだけ回避するためには，組織を立ち上げる前に，地域のことをよく知り，倫理に関心をもつ複数の医療・ケア従事者に，組織の立ち上げから関わってもらうことが大切です．最初は，そのような医療・ケア従事者一人ひとりのネットワークを通じて，地域の医療・ケア従事者に事例の提供を依頼するところから始めるとよいでしょう．

また，組織を自ら立ち上げるということは，立ち上げや維持に関わる事務作業も自分たちで行う必要があるということです．こうした作業に多くの時間を割けるメンバーがいたり，そうした人を雇用するだけの経済的な経費がある場合はよいですが，そうではない場合には，可能な限り業務をスリムにするように心がけましょう．

これまで述べてきた設置主体のうち，どの方法がもっともよいのかは，立ち上げを検討している倫理コンサルタントが置かれている状況によって大きく異なります．院外倫理コンサルテーションを立ち上げようとしている倫理コンサルタントは，地域の関係者とコミュニケーションをとり，地域の実情を十分に把握した上で，最適な形を検討するようにしましょう．そのさいには，所属施設の仕事と両立できるように，コンサルテーションのプロセスを簡略化することや，自分で立ち上げる代わりに，広く相談を受け付けている外部の窓口（BOX1）を活用する可能性についても考えるとよいでしょう．例えば，そうした相談窓口を地域に紹介し，依頼を検討している人のサポートをすることも，重要な倫理的支援です．

日本臨床倫理学会による取り組み

日本臨床倫理学会は同学会が認定している上級臨床倫理認定士（➡第5章表5）の有資格者が地域や病院において行なっている支援活動を，ホームページで公開しています．2023年12月現在，10以上の活動が「地域」として登録されており，事例検討等の臨床倫理支援の活動を行っています．これらの多くは，医療機関が単独あるいは複数で取り組んでいるもので，実施主体によっては当該地域の倫理学などの人文社会学系の研究者と共同で展開されているものもあります．活動の概要や連絡先は，同学会のウェブサイトで公開されています．

また，同学会は，2020年6月から「臨床倫理コンサルテーション相談事業」を実施しています．同学会の会員が所定の「事例提供のフォーマット」に記載して事務局にメールで送付すると，同学会の担当者や学会認定の上級臨床倫理認定士有資格者が文書で回答する仕組みです．「学会からのコメントは，臨床倫理的観点から，提出された事情に基づき，今後対処するために，配慮すべきところ，ヒントや資料で構成されています．複数人で協議した場合は，複数のコメントが示されることがあります」とされています．この取り組みは，後に示す表2で紹介している病院・臨床倫理委員会コンソーシアムと同様，臨床倫理支援の担当者を支援することを通じて，間接的に現場で倫理的問題に直面した医療・ケア提供者を支援しようとするものです．

③ 個人情報の扱い

院外倫理コンサルテーションを行う場合には，個人情報の取り扱いに注意が必要です．というのも，在宅医療・ケアに関わる事業者が院外倫理コンサルテーションに患者の個人情報を提供することは，個人情報保護法の第三者提供に該当し，原則として，患者の事前の承諾が求められることになるからです（第27条1項本文）．

ただし，個人情報保護委員会・厚生労働省「医療・介護関係事業者における個人情報の適切な取扱いのためのガイダンス」では，「患者の傷病の回復等を含めた患者への医療の提供に必要であり，かつ，個人情報の利用目的として院内掲示等により明示されている場合」には，患者が積極的に同意の意思を示していなくても，黙示の同意があったと考えられるとしています[11]．そのため，院内掲示等に，「患者の治療，療養看護などに関して倫理的な問題が生じたさいに，院外の倫理コンサルテーションサービスに意見・助言を求め相談する」と明示

---

11 個人情報保護委員会・厚生労働省．医療・介護関係事業者における個人情報の適切な取扱いのためのガイダンス．2017（2023年一部改正），p. 48.

されている場合には，患者の黙示の同意のもと，個人情報を院外の組織に提供することも認められると考えられます．

しかし，相談者が所属する在宅医療・ケア事業者において，院内掲示等を通じて周知がされているのか不明な場合もあります．また，掲示されていたとしても，現状では，「患者への医療の提供のため，他の医療機関等との連携を図ること」，「患者への医療の提供のため，外部の医師等の意見・助言を求めること」等の記載にとどまる場合が多く，倫理コンサルテーションは含まれないと理解される可能性があります．さらに，倫理的問題の解決には家族等の情報が必要になることもありますが，家族等の情報については，院内掲示のみで同意があったものとみなすことが困難な場合もあると考えられます．

以上の事情を踏まえるなら，患者が積極的に同意の意思を示していない中で院外倫理コンサルテーションを実施する場合には，個人情報を取り扱わないで行う方が望ましいと考えられます．そのため，院外倫理コンサルテーションサービスの利用者には，患者個人を特定するような識別可能な情報（容易に照合できる他の情報と合わせることで識別可能となる情報も含む）を削除した上で相談の申込みをしてもらいましょう．また，コンサルテーションの参加者には，情報の取り扱いに関する誓約書の提出を事前に求めるとよいでしょう．➲巻末付録に誓約書のひな型が収録されているので参考にしてください[12]．

④ 院外倫理コンサルテーションの方法

倫理コンサルテーションでは，関係者間のコミュニケーションが重要な役割を果たします．コミュニケーションは，大きく，言語的な要素と，非言語的な要素から構成されています．非言語的な要素としては，準言語（話し方，声の質，咳払い etc.），動作行動（ジェスチャー，表情，視線 etc.），環境要因（室内装飾，照明，インテリア etc.）などが挙げられます．非言語的な要素は，威圧的な言い方をする場合など，コミュニケーションを阻害することもありますが，必要とされる対人関係スキルや態度（➲第 2 章 - ❷）をもった倫理コンサルタントが関わることにより，良好なコミュニケーションを促進することもできます．これらの要素をもっとも活用できるのは対面でのコミュニケーションです．そのため，倫理コンサルテーションへの依頼のうち，協議を必要とするもの（➲第 3 章 - ❸）に関しては，基本的に対面で実施することが望ましいと考えられま

12 個人情報保護法では，「人の生命，身体又は財産の保護のために必要がある場合であって，本人の同意を得ることが困難」といった例外的な場合には，本人の同意がなくとも個人情報の第三者提供が可能とされています．そのため，各自治体で出されている地域ケア会議の運営マニュアルの中には，本人・家族からの同意を原則としながらも，個人情報保護法に記された例外的な状況に該当する場合には，同意を得なくとも個人情報を扱うことができるとしているものもあります．しかし，在宅医療・ケアの現場で生じる倫理的問題のすべてがそうした例外的な状況に当てはまるとは考えられません．個人情報の第三者提供に関しては，『ケースブック』第 7 章を参考にしてください．

す．

しかし，院外倫理コンサルテーションを実施する場合，参加者がそれぞれ別の組織に所属している可能性があるため，病院内のように対面で協議することは難しいかもしれません．このような場合には，対面以外の方法を用いてコンサルテーションを行う必要があります．ここでは，ビデオ通話システムや文書によるコンサルテーションを取り上げ，これらの方法に付随する利点や注意点を解説します．

▶ビデオ通話システム

多忙であり，かつ複数の組織に属している人々が話し合いを行う上で，ビデオ通話システムはきわめて有効です．以前であれば，インターネット回線が引かれていないといったインフラの問題や，使い方が分からないというスキルの問題から導入がためらわれたかもしれません．しかし，新型コロナウイルス感染症の拡大を契機に，医療・ケアの領域でも，オンライン診療やオンライン面会など，インターネットを介したコミュニケーションが導入されたこともあり，以前と比べて，オンラインで倫理コンサルテーションを行う障壁は低くなったと考えられます．

それでは，実際にオンラインで倫理コンサルテーションを行うさいには，どのような点に配慮すればよいのでしょうか．

一つ目は，会議の情報が外部に漏れない対策を行うことです．具体的には，BOX2 に示した対策を行うようにしましょう．

Web 会議を実施するさいのセキュリティ対策

- 接続する機器に，適切なウイルス対策がされているのかを確認する．
- 会議で使用するアプリケーションや，アプリケーションがインストールされている機器の OS（Windows など）が最新の状態にアップデートされているのかを確認する．
- 誰でも会議に入れないように設定しておく．例えば，ZOOM であれば，接続するさいにパスワード（パスコード）を設定し，入室者を会議のホストが管理する．
- 誰でもアクセスできる公共の無線アクセスポイントから接続はしない．
- 予定参加者のみの参加になっているかを確認する．

二つ目は，技術上のトラブルへの対策を行うことです．参加予定の人が，使い方がよく分からずに会議に参加できない，参加者が利用するインターネット回線が遅いために声がはっきり聞き取れないといったトラブルを，多くの人は一度ならず経験したことがあるでしょう．こうしたことを避けるために，会議に参加するための簡単なマニュアルを作成したり，別の日に簡単なリハーサルを行ったりするとよいでしょう．

三つ目は，互いの非言語情報を可能なかぎり得られる形で話し合いを行うということです．具体的には，カメラをオンにすること，さらに，一人ひとり別々の機器で参加することが挙げられます．すでに述べたように，私たちのコミュニケーションでは，非言語的要素が一定の役割を果たしています．しかし，カメラがオフの状態では，表情やボディーランゲージなどの非言語情報をまったく得ることができません．また，複数人が一つのカメラに写っている状況では，顔と名前とが一致しない上に，一人ひとりの表情が捉えにくく，やはり非言語情報に関して制約が生じます．スマートフォンでも構いませんので，一人につき一つの画面とし，氏名が表示される形で話し合いを行うようにしましょう[13]．

▶**文書**

このスタイルのコンサルテーションでは，Word ファイル，メール文書，紙とファックスなどを用いて，文字情報のみでケースの提供と助言を行います．対面やビデオ通話によるコンサルテーションとは異なり，得られる情報が限定されるものの，この形式固有の利点もあります．

一つ目は，依頼する側の負担を下げられる可能性があるということです．協議のために時間を作ったり，面識のない人と対面やビデオでコンサルテーションするよりも，文字情報のみでやりとりする方が依頼しやすいと考える人は一定数いると考えられます．ただし，この形式の鍵となる文章の作成がかえってハードルとなり，依頼をあきらめてしまう可能性もあります．院外倫理コンサルテーションのために時間を割ける人がいるなら，依頼文書の作成を代行することを考えてもよいかもしれません（➡第 3 章 - ❷）．

二つ目は，サービスを提供する側の負担も下げられる可能性があるということです．院外で倫理コンサルテーションを提供する人は，基本的に別に自分の仕事をもちながらこのサービスを提供するため，割ける時間も限られています．そのため，協議を前提とした倫理的対話促進アプローチではなく，文書によるアプローチを採用し，協議やそのための日程調整にかかる時間を削減することが考えられます．このアプローチは，依頼に対して一方向的に回答するという側面が強くなりますので，チームが自ら正しい答えを出す権威主義的アプローチ（➡第 3 章 - ❶）とならないように注意が必要です．倫理コンサルテーションの役割がサポートと助言であることに変わりはありません（➡第 2 章 BOX1）．なお，この方法を採用した場合でも，必ずしもすべてのプロセスを文書にする

---

13 同じ部屋で複数の人が参加する場合，ハウリングが生じることがあります．事前に対策をしておきましょう．

必要はありません．院外倫理コンサルテーションチームが回答を検討するさいには，メールではなく，対面やオンラインでミーティングを開催することも考えられます[14]．

2 病院を超えたネットワーク

① 院外ネットワークが望まれる理由

現在，日本において，倫理コンサルテーションを設置する病院の数は，増加しています．こうした中，どのように倫理コンサルテーションを開始したのか，そのさいどのような困難に直面し，いかに解決したのかといった情報を共有できるネットワークは，設置を検討している組織にとって大きな助けになるでしょう．さらに，病院の枠を超えて，実際に困った（困っている）事例を議論することは，すでに活動しているコンサルタントが院内で独断的に振る舞うことを防いだり，日本における倫理コンサルテーションの質を高めたりする効果もあります．

② 倫理コンサルテーションに関するネットワーク

現在日本では，表2に挙げたネットワークが活動をしています．表に挙げたもの以外にも，倫理コンサルテーションに関わるさまざまな講演会や研修会が開催されています．これらの情報を可能な限り入手するためにも，まずは主要な学会に入会し，倫理コンサルテーションに携わる人たちと交流をもつようにしましょう．自らのコンサルテーション活動を学会で発表すれば，さらに踏み込んだ交流が可能になるかもしれません．

---

14 例えば，コロナ感染症の拡大を機に，マレーシアで立ち上げられたオンラインでの倫理コンサルテーションサービスでは，依頼の受付と返答はメールで，専門家委員会による返答案の検討はオンラインミーティングとメールで行われています．Mubarak E. Emerging Experiences with Virtual Clinical Ethics Consultation：Case Studies from the United States and Malaysia. J Clin Ethics.2023；34（1）：51-57.

表 2　参加可能な倫理コンサルテーションのネットワーク

日本生命倫理学会
毎年 11 月ないしは 12 月に開催される年次大会では，倫理コンサルテーションに関するシンポジウム，ワークショップ，個人研究発表などが行われます． https://ja-bioethics.jp/
日本臨床倫理学会
年次大会では，会員が経験した事例をもとにした，模擬倫理コンサルテーションのセクションが開催されています．その他，倫理コンサルテーションに関わる研究発表やシンポジウムも行われ，自施設に持ち帰るための知識やスキルを習得するだけではなく，他施設の人たちとの交流や情報交換の場となっています．また，学会員は，同学会の実施する「臨床倫理コンサルテーション相談事業」を利用して，臨床倫理コンサルテーションについて助言を受けることができます． https://c-ethics.jp
日本看護倫理学会
現場の看護師や，看護師教育に携わる教育者・研究者により構成されている学会です．年次大会では，倫理コンサルテーションや倫理調整に関するワークショップが開催されている他，学会独自のガイドラインも作成・公表しています． https://www.jnea.net/
臨床倫理ネットワーク日本
臨床倫理の普及を目的とした，インターネット上のネットワークです．会員登録することにより，オンライン上で情報交換をすることができます．また，各地で開催される研究会の情報も掲載されています． http://clinicalethics.ne.jp/
病院・臨床倫理委員会コンソーシアム
倫理コンサルタント，臨床倫理委員会委員，臨床倫理委員会事務局等の，「日本全国の病院・臨床倫理委員会の担当者が連携し，理想の病院・臨床倫理委員会を目指してともに歩み，日本の医療・ケアの質の向上に貢献することを目的」に 2021 年に設立された団体です．月に 1 回のフォーラム，半年に 1 回の連携会議，年に 1 回のシンポジウムなどが開催されています．フォーラムでは，倫理的課題に直面している当事者を支援している倫理コンサルタントの相談にも応じています．また，依頼を受けたコンソーシアムの専門家が，会員の施設における倫理カンファレンスにオンラインで参加する取り組みも始まっています． http://plaza.umin.ac.jp/ce-consortium/

memo

6章 ここがポイント！

- 院外倫理コンサルテーションの設置を検討する場合には，地域の状況を十分に調べた上で，最適な形を検討するようにしましょう．
- 院外倫理コンサルテーションの場合には，組織の外部の人に相談することになるため，患者や利用者の個人情報の扱いには気を付けましょう．
- ビデオ通話システムを用いる場合には，セキュリティ対策を行った上で，非言語的情報も含めた形でコミュニケーションを行うことが大切です．
- 学会や研究会などに参加して，他施設の倫理コンサルテーションチームとのネットワークを広げましょう．

COLUMN

地域において生じた法的な問題の相談先は？

虐待や暴力・ハラスメントなどの法的な問題については，病院であれば倫理コンサルテーションとは異なる部署で取り扱われることも多いですが，在宅医療・ケアの現場では，倫理的課題を話し合う場で扱うことが必要になる可能性があります．そのような場合には，法律の専門家による助言が重要です．顧問弁護士と契約している機関が関わっていない場合には，国民向けの法的支援を行う機関である「法テラス」や各地域の弁護士会で行っている法律相談などを利用するのも一つの方法です．

7章 参考資料

1 裁判例[1]

①患者の自己決定権と説明義務

判例	**輸血に関する病院の方針についての説明義務** 最高裁判所平成 12 年 2 月 29 日判決
事案	生命に関わることになっても輸血を拒否する（絶対的無輸血）という固い信念を有している患者が，肝臓の腫瘍のため国が設置する病院に入院した．当該病院は，患者の信念を尊重するが，輸血以外には救命手段がない事態に至ったときは，患者，その家族の諾否にかかわらず輸血する方針（相対的無輸血）を採用していた．医師は相対的無輸血の方針であることを患者に説明することなく手術に臨み，術中に輸血を行なった．
論点	患者の宗教上の信念は，法的に保護されるか．手術のさいに輸血を必要とする事態が生ずる可能性を認識した場合，輸血する可能性があることを説明する義務はあるか．
結論	説明する義務を認め，慰謝料を肯定した．
要旨	医療水準に従った相当な手術をしようとすることは，人の生命，健康を管理すべき業務に従事する者として当然のことであるということができる．しかし，患者が，輸血を受けることは自己の宗教上の信念に反するとして，輸血を伴う医療行為を拒否するとの明確な意思を有している場合，このような意思決定をする権利は，人格権の一内容として尊重されなければならない．そして，患者が，宗教上の信念からいかなる場合にも輸血を受けることを拒否するとの固い意思を有しており，輸血を伴わない手術を受けることができると期待して〔当該〕病院に入院したことを〔当該〕医師らが知っていたなど，本件の事実関係の下では，〔当該〕医師らは，手術のさいに輸血以外には救命手段がない事態が生ずる可能性を否定し難いと判断した場合には，患者に対し，〔当該〕病院としてはそのような事態に至ったときには輸血するとの方針を採っていることを説明して，〔当該〕病院への入院を継続した上，〔当該〕医師らの下で本件手術を受けるか否かを患者自身の意思決定に委ねるべきであった． 〔当該〕医師らは，本件手術に至るまでの約 1 カ月の間に，手術のさいに輸血を必要とする事態が生ずる可能性があることを認識したにもかかわらず，患者に対して，〔当該〕病院が採用していた上記方針を説明せず，輸血する可能性があることを告げないまま本件手術を施行し，上記方針に従って輸血した．そうすると，上記説明を怠ったことにより，患者が輸血

（次頁につづく）

1　地方裁判所，高等裁判所，最高裁判所の判決の位置づけについては，第 1 章 BOX6 を参照してください．

	を伴う可能性のあった本件手術を受けるか否かについて意思決定をする権利を奪ったものといわざるを得ず，この点において患者の人格権を侵害したものとして，患者がこれによって被った精神的苦痛を慰謝すべき責任を負う.
解説	この判例は，エホバの証人輸血拒否事件といわれます．患者が，輸血を受けることは自己の宗教上の信念に反するとして輸血を伴う医療行為を拒否するとの明確な意思を有している場合，医療機関や医師に対して，相対的無輸血の方針なのであればその旨を患者に説明し，例えば転院の機会を保障することなどを求めているものです. したがって，患者が希望した場合には絶対的無輸血の方針を採ることを義務付けるものではありません．しかし，だからといって，絶対的無輸血を希望する患者の診療をいっさい受け付けない対応が適切であるのかは，議論があるところです.
出典	https://www.courts.go.jp/app/hanrei_jp/detail2?id=52218

判例	**未確立な医療についての説明義務** 最高裁判所平成 13 年 11 月 27 日判決
事案	当時の医療水準では未確立な治療であると考えられていた乳房温存療法を希望していた乳がんの患者に対して，医師は患者に十分な説明をすることなく，胸筋温存乳房切除による手術を行った.
論点	手術を行うにあたり具体的にどのような内容を説明しなければならないか，また医療水準として未確立であった乳房温存療法について説明義務を負うか.
結論	説明義務を認め，慰謝料を肯定した.
要旨	医師は，患者に対し，手術を実施するに当たっては，診療契約に基づき，特別の事情がない限り，当該疾患の診断（病名と症状），実施予定の手術の内容，手術に付随する危険性，他に選択可能な治療法があればその内容と利害得失，予後などを説明しなければならない．一般的にいうならば，実施予定の手術は医療水準として確立した療法のものとなるが，他の療法が医療水準として未確立のものである場合には，医師は後者について常に説明義務を負うと解されるものではない．とはいえ，未確立の療法であっても，少なくとも，当該療法が少なからぬ医療機関において実施されており，相当数の実施例があり，これを実施した医師の間で積極的な評価もされているものについては，患者が当該療法の適応である可能性があり，かつ，患者が当該療法の自己への適応の有無，実施可能性について強い関心を有していることを医師が知った場合などにおいては，たとえ医師自身が当該療法について消極的な評価をしており，自らはそれを実施する意思を有していないときであっても，なお，患者に対して，医師の知っている範囲で，当該療法の内容，適応可能性やそれを受けた場合の利害得失，当該療法を実施している医療機関の名称や所在などを説明すべき義務がある.

（次頁につづく）

解説	医師が患者に行おうとする医療行為について十分に説明し，患者から同意を得ることは、生命・医療倫理の 4 原則のひとつである「自律尊重原則」から支持されます．それだけではなく，患者がどのような価値観や選好を有しているのかを聞き，対話を重ねながら共同で意思決定すること（Shared Decision Making：SDM）が望ましいと考えられています．
出典	https://www.courts.go.jp/app/hanrei_jp/detail2?id=52226

判例	**一般的ではない医療についての説明義務** 東京地方裁判所平成 17 年 6 月 23 日判決
事案	乳がんに罹患した患者が，医師が独自に始めた新免疫療法と称する治療を受けて死亡した．
論点	クリニック及び医師は，一般的な治療法に関する具体的な説明義務の他に，実施する一般的でない治療法について，正確で具体的な情報提供・説明が求められるか．
結論	情報提供・説明義務を認め，慰謝料を肯定した．
要旨	一般的でない治療方法を試みる場合には，それを受けようとする患者に対しては，一般的な治療方法である手術，抗癌剤投与，放射線療法の内容やその適応，副作用等を含めた危険性，治療効果・予後等について説明をし，患者がそれを理解していることが前提である．担当医師としては，それらについて説明をした上で，試みようとする一般的でない治療法についての内容や危険性，治療効果・予後について，患者がいずれの治療方法についても，十分理解して自ら選択できるよう，正確な情報を提供する義務があるというべきある．なぜなら，手術，抗癌剤投与，放射線療法以外の一般的でない治療方法を実施する場合には，患者としては特に治療効果・予後・副作用等について大きな関心があることが通常であるにもかかわらず，その効果等について客観的・科学的な根拠・資料が不足していることが多く，危険性についても予測がつかない場合があり，患者に対し，できるだけ正確な情報提供をし，その理解を得ることが重要となるからである．
解説	この裁判例は，一般的に認められていない未実証の治療を行うときにも，詳細で正確な説明が求められることを示しています．現在，特定機能病院においては，高難度新規医療技術及び未承認新規医薬品等を用いた医療の提供の適否を決定する専門の組織の設置が求められています．こうした組織をもつ病院では，未実証の治療もそこで審査される場合もあるでしょう. 必ずしも高難度新規医療技術や未承認新規医薬品等に該当しない場合や専門の組織をもたない病院では，基本的に臨床倫理員会において審査することが適当であると考えられます．ただし，委員会における審査は，臨床において生じる問題への対応を目的とする倫理コンサルテーション活動（委員会モデル）というよりも，施設としての方針を決定する活動として理解するのが適切でしょう．
出典	https://www.courts.go.jp/app/hanrei_jp/detail4?id=5484

判例	**意識がなくなった患者の家族に対する説明義務** 東京高等裁判所平成 22 年 7 月 7 日判決
事案	意識が失われた末期患者に対するモルヒネの量について患者家族に虚偽の説明をした.
論点	患者が受ける終末期医療の内容に関して, 患者の意識が失われた場合には患者に代わって治療について中心となって意思決定をしていくことを委ねられた家族に対し, 虚偽の説明をすることは説明義務に反するか.
結論	説明義務に反することを認め, 慰謝料を肯定した.
要旨	特に末期治療においては, その内容は患者の生命の終焉の在り方にかかわるのであるから, その説明を求められた場合に医療機関が虚偽の内容を説明することは, 当該医療機関が負うべき説明義務に違反する. 患者家族が治療方針に不満を持っていたからといって, そのことは病院の医療従事者が患者家族に対して意図的に虚偽の治療内容の説明をすることを正当化する理由とはならない. かかる虚偽の説明は, 患者の代わりに真実の説明を受けるべき権利を有していた患者家族の権利を侵害するものであり, これにより患者家族は精神的苦痛を受けたと認められる.
解説	終末期において患者に意識がなくなった時には, 患者に代わり治療についての意思決定を委ねられた家族には, 患者に代わり真実の説明を受ける権利を有しているとしました.
出典	「LLI/DB 判例秘書」に掲載されている内容を参考にしました. 本裁判例については, 2024 年 5 月現在, 最高裁判所裁判例検索に収載されておらず, また, 判例評釈も出版されていません.

memo

判例	**保存的治療がある場合の説明義務** 最高裁判所平成 18 年 10 月 27 日判決
事案	未破裂脳動脈瘤について，予防的治療を行う場合に医療水準上確立した治療法として保存的経過観察という選択肢もある中，それを説明せずに，侵襲性の高い開頭術及び塞栓術の説明のみ行い手術を実施したところ，患者が死亡した.
論点	予防的な療法を実施するに当たって，医療水準として確立した治療法が複数あり，その中には，いずれの療法も受けずに保存的に経過を見るという選択肢もある時に，それも説明すべきか. また，説明して，患者がいずれの療法を選択するかについては熟慮する機会を与える必要があるか.
結論	説明義務違反を認め，慰謝料を肯定した.
要旨	予防的な療法（術式）を実施するに当たって，医療水準として確立した療法（術式）が複数存在し，その中にある療法（術式）を受けるという選択肢と共に，いずれの療法（術式）も受けずに保存的に経過を見るという選択肢も存在する場合，そのいずれを選択するかは，患者自身の生き方や生活の質にも関わるものであり，また，選択のための時間的な余裕もあることから，患者がいずれの選択肢を選択するかにつき熟慮の上判断することができるように，医師は各療法（術式）の違いや経過観察も含めた各選択肢の利害得失についてわかりやすく説明することが求められる.
解説	危険性を伴う予防的な療法が複数存在し，その療法の利害得失については説明をしていました．しかし，手術前日のカンファレンスで急遽療法を変更し，患者の承諾を得てコイル塞栓術をしたところ，脳梗塞を発症し死亡した事例です．予防的な療法が複数あり，急がずに経過観察という選択肢もあるような中で，合併症のリスクのある療法か破裂の不安を抱えた生活か，患者の生活の質に関わるため，十分に自己決定をする機会を与える必要があると判断されたものです．
出典	https://www.courts.go.jp/app/hanrei_jp/detail2?id=33715

memo

判例	**顛末報告義務** 大阪地方裁判所平成 20 年 2 月 21 日判決
事案	予期しない重篤な後遺症を負った患者（転移癌の摘出及びその後のがん再発防止のための放射線治療により後遺症が残った）が，診療経過について，診療録等に基づいて詳細を知りたいとしたところ，医療機関が紛失により診療録等の一部しか示さずに説明をした．
論点	医療機関の顛末報告義務について，法的義務とみることができるか．また，法的義務であった時に診療録等を示して説明を行わなければならないか．
結論	顛末報告義務を法的義務とし，診療録等を示しながら診療経過を説明する必要があるとした．
要旨	診療契約とは，患者等が医師らまたは医療機関等に対し，医師らの有する専門知識と技術により，疾病の診断と適切な治療をなすように求め，これを医師らが承諾することによって成立する準委任契約であると解される．医師らはこの診療契約（民法第 645 条）により，少なくとも患者の請求があるときは，その時期に説明・報告することが相当でない特段の事情がない限り，本人に対し診療の結果，治療の方法，その結果などについて説明及び報告すべき義務（顛末報告義務）を負う．そして，医師らが適切な方法で顛末の報告を行う場合に，診療録等を示して行う必要があるか否かは，当該診療の内容，医師らが行った説明，当該診療録等の記載内容の重要性，医師らが当該診療録等を示すことができない事情，患者が顛末報告のために診療録等を示すよう求める理由や必要性，報告時の患者の症状等の具体的事情を考慮して決すべきものと解されるとした．
解説	重大な後遺症を負ったことについて，医療過誤で争われましたが，過誤が認められず裁判が確定した後に，再度顛末報告義務違反があるとして提訴された事案です．その中で，医師には，患者の求めがある場合，原則として，診療の結果，治療の方法，その結果などの顛末を報告する義務があるとしました．また，説明，報告の内容，方法等について医師に一定の裁量があるとはしましたが，患者に重度の後遺症が残っている本件において，入院カルテや手術関連記録の一部紛失からそれらを示しながらの説明ができなかったことに対して債務不履行を認めました．重大な後遺症が残ったさいには，診療録等を示して十分に説明することが求められます．
出典	https://www.courts.go.jp/app/hanrei_jp/detail4?id=36157

②病名の告知

判例	**がんの告知と家族への説明義務** 最高裁判所平成 14 年 9 月 24 日判決
事案	医師は，終末期の肺がん患者本人に対して告知を行うことが適切でないと判断し，本人にも家族にも告知を行わなかった．
論点	医師が末期がん患者本人はもとよりその家族にも病状等を告知しなかったことが診療契約に付随する義務に違反するか．
結論	告知義務に反することを認め，慰謝料を肯定した．
要旨	医師は，診療契約上の義務として，患者に対し診断結果，治療方針等の説明義務を負担する．そして，患者が末期的疾患にり患し余命が限られている旨の診断をした医師が患者本人にはその旨を告知すべきではないと判断した場合には，患者本人やその家族にとってのその診断結果の重大性に照らすと，当該医師は，診療契約に付随する義務として，少なくとも，患者の家族等のうち連絡が容易な者に対しては接触し，同人又は同人を介して更に接触できた家族等に対する告知の適否を検討し，告知が適当であると判断できたときには，その診断結果等を説明すべき義務を負うものといわなければならない．なぜならば，このようにして告知を受けた家族等の側では，医師側の治療方針を理解した上で，物心両面において患者の治療を支え，また，患者の余命がより安らかで充実したものとなるように家族等としてのできる限りの手厚い配慮をすることができることになり，適時の告知によって行われるであろう家族等の協力と配慮は，患者本人にとって法的保護に値する利益であるというべきであるからである．
解説	病名や病状の説明は患者本人に対して行うことが原則です．しかし，患者が末期的疾患で余命が限られていると診断をし，患者本人にはその旨を告知すべきではないと判断した場合には，医師において連絡が可能な家族に接触して告知が適当であると判断した家族等に告知する義務があるとしました．これは，患者にとって余命がより充実したものになるように家族等からの支援を得られるよう，家族等への適時の告知を義務としたものです．
出典	https://www.courts.go.jp/app/hanrei_jp/detail2?id=76088

memo

判例	**がんの告知のさいの配慮義務** さいたま地方裁判所川越支部平成15年10月30日判決
事案	転移性脊椎腫瘍に対する治療のため転院が必要であったところ，転院先から本人への告知が求められていたことから告知したところ，その数日後，患者が自殺した．
論点	がんの告知にさいし，患者の精神状態等の諸般の事情を考慮した上で，告知，説明の時期，内容，程度及び方法に配慮する義務があるか，また告知後も患者の精神的なケアなどの対応に配慮する義務はあるか．
結論	配慮義務は認めたが，本事案において配慮義務の違反はないとして，損害賠償を認めなかった．
要旨	担当医師には，患者の治療に関する自己決定権から，病状や治療方針について具体的な説明義務があるものの，がんのような難治の疾病の場合には，その説明にさいし，いつ，だれに，いかなる内容をどのような方法，態様で説明すべきかについては，患者の性格や心身の状態，家庭環境，病状を知らせることの治療に及ぼす影響等の諸事情を考慮した上で慎重な配慮が不可欠である．患者には，ある程度精神的に不安定であったことがうかがえるが，がん告知を避けなければならないような深刻な精神状態にまであったとはいえないこと，その他患者の急激な症状悪化に伴い転院して治療する必要があり，その受け入れ条件として告知が必要であったこと，家族も最終的に告知に異議を述べなかったことなどから，がん告知にあたり配慮義務違反はないとした．また，がん告知後についても，担当医師には，告知の影響を考えて，患者の状態に一層留意して，治療に配慮していく義務があるとしたが，担当医の説明が著しく患者の希望を失わせるものとまでは評価できないとした．
解説	医師には，患者の自己決定権を保障するために，十分な情報提供が求められます．他方，告知は精神的苦痛を与える場合もあるため，医師は，患者の精神状態に注意しながら，自殺などの害悪を引き起こさないように，できる限り慎重に説明する必要があります．
出典	判例タイムズ1185号，p.252

memo

③医療・ケアの不開始・中止

判例	**安楽死に関する刑事事件（東海大学病院事件）** 横浜地方裁判所平成 7 年 3 月 28 日判決
事案	多発性骨髄腫の終末期にある患者の長男に「苦しむ姿を見ていられない」などといわれて治療行為の中止を求められた末，治療行為の中止及び薬剤の注射を行い，患者を死亡させたため，殺人罪に問われた．
論点	薬物注射による安楽死が認められるか．
結論	薬物を注射した行為について殺人罪を認めた（懲役 2 年，執行猶予 2 年）．
要旨	安楽死の要件としては，①患者に耐えがたい激しい肉体的苦痛が存在すること（現に存在するか，または生じることが確実に予想される場合も含まれ，精神的苦痛は現段階では除かれるべきである），②患者について死が避けられず，かつ死期が迫っていること，③患者の明示の意思表示が存在すること，④積極的安楽死といわれる方法は，苦痛から解放してやるためとはいえ，直接生命を絶つことを目的とするので，苦痛の除去・緩和のための他の医療上の代替手段がないことが挙げられた．なお，治療行為の中止についても言及され，①患者が治癒不可能な病気に冒され，回復の見込みがなく死が避けられない末期状態にあること，②治療行為の中止を求める患者の意思表示が存在し，それが治療行為の中止を行う時点で存在すること，③どのような措置を何時どの時点で中止するかは，死期の切迫の程度，中止による死期への影響の程度等を考慮して，医学的に無意味であるとの適正さを判断し，自然の死を迎えさせるという目的に沿って決定されるべきことが要件として挙げられた．判決では，治療行為の中止に関しては②を，積極的安楽死に関しては①③④を満たさないため，いずれも認められないとした．
解説	薬物投与などにより患者を死に至らしめたいわゆる積極的安楽死について，医師の殺人罪が確定した裁判例です．現在オランダなど一部の国では自発的積極的安楽死（Voluntary Active Euthanasia：VAE）が認められていますが，本件では患者の意思はまったく不明であり，VAE にも該当しないことに注意が必要です．上記の 4 つの条件は，VAE の 4 要件などといわれることもありますが，耐え難い苦痛に対しては鎮静を行うことが一般的ですので，この 4 要件を満たすことは実際には不可能と思われます．また，これはあくまでも地方裁判所の判決ですので，その規範性は必ずしも高いものではありません．
出典	https://square.umin.ac.jp/endoflife/shiryo/pdf/shiryo03/04/312.pdf

memo

判例	**治療の中止に関する刑事事件（川崎協同病院事件）** 最高裁判所平成 21 年 12 月 7 日判決
事案	気管支喘息重積発作の結果，昏睡状態となった患者の家族に対し，医師が「脳の回復は期待できない」などと説明したところ，患者の回復をあきらめた患者の妻から「抜管してほしい」との要請を受け，気管チューブを抜き取り，その後患者が苦しそうに見える呼吸を繰り返したことから，医師が准看護師に命じて筋弛緩剤を静注し，患者を死亡させた
論点	筋弛緩剤の投与（積極的安楽死）に加えて，気管内チューブの抜去（生命維持治療の中止）も殺人罪に問えるのか．
結論	気管内チューブの抜去及び筋弛緩剤の投与について，殺人罪を認めた（懲役 1 年 6 月，執行猶予 3 年）．
要旨	回復可能性や余命について的確な判断を下せる状況にはなかったこと，本件気管内チューブの抜管は，被害者の回復をあきらめた家族からの要請に基づき行われたものであるが，その要請は上記の状況から認められるとおり，被害者の病状等について適切な情報が伝えられた上でされたものではなかったこと，抜管行為が被害者の推定的意思に基づくとはいえないことから，法律上許容される治療中止には当たらないというべきである．
解説	当該患者が終末期にあたるのかどうかの検討が不十分で，かつ，本人の意思が不明で家族等による意思の推定も行われていないことから，生命維持治療の中止が殺人罪にあたると判断されたものと思われています．高裁判決（平成 19 年 2 月 28 日）では，尊厳死の問題を抜本的に解決するには尊厳死法の制定又はガイドラインの策定が必要とされると述べられていましたが，同年 5 月には，厚生労働省より，「終末期医療の決定プロセスに関するガイドライン」（現在は「人生の最終段階における医療・ケアの決定プロセスに関するガイドライン」へ名称を変更）が公表されました．2006 年（平成 18 年）に明らかになった富山県の射水市民病院における治療中止をきっかけに作成されたこのガイドラインでは，終末期であるのかを多職種で十分に検討し，患者の意向を踏まえた上で，治療の中止や不開始を判断するように求めています． なお，下級審では，〈1〉患者本人の意思，〈2〉治療義務の限界という観点からの検討がされており，本最高裁判決もこの考えを基にしていると考えられる．
出典	https://www.courts.go.jp/app/hanrei_jp/detail2?id=38241

memo

判例	**終末期の治療方針について家族間で考えが異なる場合** 東京高等裁判所平成29年7月31日判決
事案	終末期の患者について，病院がキーパーソンと認識していた家族から，延命措置を講ずることを拒否されたため，それに従って延命措置を実施せずに患者が死亡したところ，別の家族から，病院と延命措置を拒否した家族に対して損害賠償の裁判が提起された.
論点	意思表示ができない患者について，家族の一部の意向で，治療の不開始・中止をしたときに，それと異なる意向を持つ家族の人格権を侵害したことになるか．ガイドラインに法規範性はあるか.
結論	一部の家族からの損害賠償請求については，原審も控訴審も認めなかった.
要旨	延命措置について，家族の一部の者が，患者本人や他の家族と異なる意見を持っていることを知りながら，医師にその内容を告げなかったり，容易に連絡が取れる家族がいながらその者の意見をあえて聞かずに，医師に対して，自らの意見を家族の総意として告げたりした場合には，患者本人や他の家族の人格権を侵害したことになる．医師については，終末期医療の決定プロセスに関するガイドラインに照らして，患者にとって最善の治療方針を決定すべき注意義務には反していないと判断した. また，終末期の決定プロセスに関するガイドラインについては，法規範性はないものの，終末期医療の方針決定における医師の注意義務を検討する上では参考になるとした.
解説	患者本人が，意思表示ができない場合，治療の差し控えや中止については，家族の意向に左右されることが多く，病院では誰がキーパーソンかを考えて説明することも行われています．しかし，裁判でも取り上げたガイドライン（平成30年3月に「人生の最終段階における医療・ケアの決定プロセスに関するガイドライン」に改定されたが，基本的な内容に変更はない）からすると，家族の意向ではなく，本人の意向はどうか，不明な時には本人ならどのようにするかその意思を推測することになるため，誰が本人の意向を知っているかが重要になります.
出典	小林真紀．家族間における延命措置の葛藤．別冊ジュリスト258号〔医事法判例百選　第3版〕，p.200.

memo

④身体拘束

判例	**身体拘束の許容性** 最高裁判所平成 22 年 1 月 26 日判決
事案	当直の看護師らが，病院に入院中の患者の両上肢をベッドにミトンを用いて拘束した．患者は拘束時，せん妄の状態にあり，歩行中に転倒したり，ベッドから転落したりして骨折等の重大な傷害を負う危険性は極めて高かった．
論点	身体拘束が診療契約上の義務に違反し，不法行為法上違法となるか．
結論	診療契約上の義務違反はなく，不法行為法上違法であるともいえない．
要旨	最高裁では，(1) 患者は，上記行為が行われた当日，せん妄の状態で，深夜頻繁にナースコールを繰り返し，車いすで詰所に行ってはオムツの交換を求め，大声を出すなどした上，興奮してベッドから起き上がろうとする行動を繰り返していたものであり，当時 80 歳という高齢で，4 か月前に他病院で転倒して骨折をしたことがあったほか，10 日ほど前にもせん妄の状態で上記と同様の行為を繰り返して転倒したことがあったこと，(2) 看護師らは，約 4 時間にもわたって，上記患者の求めに応じて汚れていなくてもオムツを交換し，お茶を飲ませるなどして落ち着かせようと努めたが，上記患者の興奮状態は一向に収まらず，また，その勤務体制からして，深夜，長時間にわたり，看護師が上記患者につきっきりで対応することは困難であったこと，(3) 看護師が上記患者の入眠を確認して速やかにミトンを外したため，上記行為による拘束時間は約 2 時間であったことから，当該抑制は当該患者の転倒，転落の危険を防止するための必要最小限度のもので，緊急やむをえず行った行為であり，診療契約上の義務に違反せず，違法ともいえないとした．なお，高裁においては，切迫性や非代替性がないとして，診療契約上の義務違反を認め，違法として慰謝料を認めていた．
解説	高裁判決では，患者又は他の患者の生命・身体に対する危険が切迫し，かつ，他に危険を避ける方法がない場合に限り，必要最小限度の手段によって，緊急避難行為として，身体拘束を行うことは例外的に許容されるとしました．すでに厚生労働省は，介護保険施設向けに作成した「身体拘束ゼロへの手引き」(2001 年) において，身体拘束が認められるための 3 つの要件 (切迫性・非代替性・一時性) を示していましたが，高裁判決は，この要件が医療機関においてもほぼ妥当することを認めました．3 要件を受け入れるという姿勢は最高裁にも引き継がれましたが，最高裁判決と高裁判決は，本事案がこれらの要件を満たすかどうかに関して異なる立場を取っています． 身体拘束を行い患者の自由を奪うことは，原則として許されることではありませんので，身体拘束の要否やその方法については，多職種で検討を行うことが大切です．高齢者・認知症ケアチームなど，現場の医療者以外のチェックを定期的に受ける体制も望ましいでしょう．
出典	https://www.courts.go.jp/app/hanrei_jp/detail2?id=38356

⑤診療拒否

判例	**海外渡航による臓器移植後のフォローアップ治療の拒否** 東京高等裁判所令和元年 5 月 16 日判決
事案	臓器ブローカーの絡むような腎移植をした者に対しては診察・診療を行わない申合せをしていた大学病院において，中国で腎移植を受けた患者のフォローアップ治療を拒否した.
論点	臓器取引と移植ツーリズムに関するイスタンブール宣言（臓器取引と移植ツーリズムを禁止等）により，臓器ブローカーの絡むような腎移植をした者には診察・診療を行わない申合せをしていた大学病院において，そのような患者に対する診療拒否が，医師法第 19 条 1 項の応招義務が適用され不法行為となるか，適用されないとしても，患者にとっての不利な時期での診療拒否として，債務不履行または不法行為となるか.
結論	医師法第 19 条 1 項の適用については判示せず，正当事由について具体的な要件を検討して，債務不履行や不法行為を否定した.
要旨	医師法第 19 条 1 項の厳密な適用範囲について検討し，それについて判断する必要はない.同条同項の趣旨が，患者に医療へのアクセスを保障し，患者の生命身体の保護を図ることにあるのを踏まえ，緊急診療の必要性，医療機関の代替性，診療拒否の正当性を総合考慮して判断するのが相当であるとして，これらの要件を検討して，診療拒否は，不法行為や債務不履行には当たらないとした.
解説	この事案における本判決の結論については，賛否両論があります．令和元年 12 月 25 日医政発 1225 第 4 号各都道府県知事あて厚生労働省医政局長通知において，診療拒否が許される場面について，病院の性格，緊急対応が必要な場合か否か，診療時間外・勤務時間外かどうかなどでの基準が示されました．さらにその中で，個別事例を挙げて応招義務の有無について言及されていますので，参照してください[2].
出典	宍戸圭介．外国での臓器移植後のフォローアップ治療．別冊ジュリスト 258 号〔医事法判例百選 第 3 版〕，p.204.

memo

2　応招義務に関しては，『ケースブック』第 1 章も参照してください.

⑥配偶者の同意

判例	**配偶者の同意なくしての中絶手術について** 福岡高等裁判所那覇支部令和4年12月5日判決
事案	医師が，中絶を希望する女性からの配偶者によるドメスティックバイオレンス（DV）があるなどとの申告を信じて，配偶者の同意を取らずに，本人の同意だけで中絶手術を行ったところ，配偶者から医師に対し慰謝料請求がなされた．
論点	母体保護法では婚姻中に中絶する場合には，配偶者の同意が必要となるが，医師には，女性の説明を信じて中絶をしていいか，医師にどの程度確認する義務があるか．
結論	医師の過失を認めず，慰謝料を否定した．
要旨	離婚の成否に係る点について患者の話は整合しておらず，医師が人工妊娠中絶を行う前にこの点について患者に再度の質問等を行うなどの確認をしなかったことは，不適切であったとした． しかしながら，仮に医師が上記の確認を行い，患者が未だ離婚していない旨の疑いを持つに至ったとしても，患者と配偶者との婚姻関係が破綻状態にあり，その原因の一つとして配偶者によるDVのような行為があるという点についての説明内容については大筋において当初から変遷がなかったとの事情が認められ，また，医師には人工妊娠中絶の要件充足性を判断するに当たり特段の調査権限が付与されておらず，妊婦から申告があった場合における事実関係の確認の方法には限界があることをも勘案すれば，医師において，患者による説明内容を信用し，更なる聞き取りや関係官署等への確認等をしないまま，婚姻関係が実質的に破綻しており配偶者の同意を得ることが困難な場合に当たると判断することは，不合理とまではいえないと判断された． したがって，上記の事実関係の下では，医師が，母体保護法第14条2項に該当する事由が存在すると認識して，配偶者の同意を得ずに本件人工妊娠中絶を行ったことについて，指定医師としての注意義務を怠った過失があるとまで断ずることはできないとされた．
解説	母体保護法第14条では，「指定医師」は，次の各号の一に該当する者に対して，本人及び配偶者の同意を得て，人工妊娠中絶を行うことができるとしています． 一　妊娠の継続又は分娩が身体的又は経済的理由により母体の健康を著しく害するおそれのあるもの 二　暴行若しくは脅迫によって又は抵抗若しくは拒絶することができない間に姦淫されて妊娠したもの 配偶者の同意については，同条2項において，「配偶者が知れないとき若しくは（配偶者が）その意思を表示することができないとき」又は「妊娠後に配偶者がなくなったとき」には，「本人の同意だけで足りる．」としています．このように原則，配偶者の同意が必要となっており，現実の実態にそぐわない状況となっています．その中で，本件裁判は，配偶者の同意に対して医師がどの程度の確認，調査をしなければならなかったのか判断したものです．前

（次頁につづく）

	年の令和３年３月に，厚生労働省はすでに，「妊婦が夫のDV被害を受けているなど，婚姻関係が実質破綻しており，人工妊娠中絶について配偶者の同意を得ることが困難な場合」は，「本人の同意だけで足りる」場合に該当するのかという日本医師会からの疑義紹介に対して，「貴見のとおりである」と回答しています[3]．
出典	「TKC法律情報データベース」に掲載されている内容を参考にしました．本裁判例については，2024年５月現在，最高裁判所裁判例検索に収載されておらず，また，判例評釈も出版されていません．

memo

3 「母体保護法に係る疑義について（回答）」（厚生労働省子ども家庭局母子保健課長，子母発0310第１号，令和３年３月10日）

2 ガイドライン・指針

（公表された年が新しいものから掲載しています）

①医療・ケアの不開始・中止

「透析の開始と継続に関する意思決定プロセスについての提言」

（日本透析医学会，2020 年）

▶ 2014 年にまとめられた「維持血液透析の開始と継続に関する意思決定プロセスについての提言」を，アドバンス・ケア・プランニングや共同意思決定の考え方を踏まえて改訂したものです．医療チームが方針決定に困難を感じることもあるため，臨床倫理問題を担当するチームまたは部署の設置が望ましいとされています．

▶ https://www.jsdt.or.jp/dialysis/2094.html

「安楽死と医師の支援を受けてなされる自殺に関する WMA 宣言」

（世界医師会，2019 年）

▶この宣言において世界医師会は，安楽死及び医師の幇助による自殺に対して，「強く反対する」ことを明言しています．他方で，医師が，治療の不開始・中止を選択することに関しては，「患者の希望を尊重することが死という結果を招く場合であっても，非倫理的な行為にはならない」ことも宣言されています．

▶ https://www.med.or.jp/dl-med/teireikaiken/20191030_2.pdf

「人生の最終段階における医療・ケアの決定プロセスに関するガイドライン」および解説編

（厚生労働省，2018 年）

▶ 2007 年に公表された「終末期医療の決定プロセスに関するガイドライン」を改訂したものです．家族など信頼できる人と事前に繰り返し話し合っておくアドバンス・ケア・プランニングを中心に，病院だけでなく在宅の現場でも利用可能なガイドラインです．関係者間で合意に至らない場合には，複数の専門家からなる話し合いの場を設置して検討するよう求めています．

▶ https://www.mhlw.go.jp/file/04-Houdouhappyou-10802000-Iseikyoku-Shidouka/0000197701.pdf

▶ https://www.mhlw.go.jp/file/04-Houdouhappyou-10802000-Iseikyoku-Shidouka/0000197702.pdf

「終末期医療に関するガイドライン～よりよい終末期を迎えるために～」

（全日本病院協会，2016 年）

▶本ガイドラインでは，終末期の定義を行うと共に，一定の基準や根拠を示した上で，患者の意思を尊重し，医療をいかに開始・継続・中止すべきかが示されています．家族の間で意見がまとまらない場合などは，第三者を含む倫理委員会等で検討する必要があるとされています．

▶ https://www.ajha.or.jp/voice/pdf/161122_1.pdf

「Do Not Attempt Resuscitation（DNAR）指示のあり方についての勧告」

（日本集中治療医学会，2017 年）

▶ DNAR 指示は心停止時にのみ有効であり，ICU 入室を含めて，通常の医療・看護については別に議論すべきである点を強調しています．また，DNAR 指示の実践を行う施設は，臨床倫理を扱う独立した病院倫理委員会を設置するよう推奨しています．

▶ https://www.jsicm.org/pdf/DNAR20170105.pdf

「『尊厳死』—人のやすらかな自然な死についての考察—」

（一般社団法人日本病院会 倫理委員会，2015 年）

▶尊厳死をめぐり，今後社会として何を議論し，どのような取り組みが必要なのかを整理した文書です．そのため，臨床現場における「尊厳死」の判断基準を示したものではありませんが，「患者に苦痛を与えない最善の選択」を検討すべき場合が整理されており，倫理コンサルテーションにおいても活用できると思われます．

▶ https://www.hospital.or.jp/pdf/06_20150424_01.pdf

「日本版 POLST（DNAR 指示を含む）作成指針」

（日本臨床倫理学会，2015 年）

▶ POLST とは，Physician Orders for Life Sustaining Treatment（生命維持治療に対する医師の指示）の略語です．生命の危機に瀕した患者の医療処置をどのようにすればよいのか，医師が患者やその代諾者と相談しながら決定するための手引きとなっています．

▶ https://c-ethics.jp/deliverables/detail02/

「救急・集中治療における終末期医療に関するガイドライン～3 学会からの提言～」

（日本救急医学会・日本集中治療医学会・日本循環器学会，2014 年）

▶三学会の合意のもとに，救急・集中治療における終末期の判断やその後の対応について考える道筋を示しています．救急・集中治療における終末期の定義や，延命措置の中止にも言及しています．

▶ https://www.jaam.jp/info/2014/pdf/info-20141104_02_01_02.pdf

「重篤な疾患を持つ子どもの医療をめぐる話し合いのガイドライン」

（日本小児科学会，2012 年）

▶話し合いを通じて，子どもの医療をめぐる意思決定を行うためのガイドラインです．生命維持治療の中止や差し控えに関して検討する場合には，倫理委員会や倫理コンサルテーションサービスに諮ることが推奨されています．

▶ https://www.jpeds.or.jp/uploads/files/saisin_120808.pdf

②宗教的信念にもとづく不同意

「市町村及び児童相談所における虐待相談対応について」

（厚生労働省子ども家庭局長通知，子発 1006 第 3 号，令和 4 年 10 月 6 日）

▶霊感商法や高額献金などの，いわゆる「旧統一教会問題」をきっかけになされた通知です．児童虐待の防止等に関する法律第 2 条各号に該当する行為を保護者が行った場合には，保護者自身の信仰が理由であったとしても，児童虐待に該当しうるとしており，必要な治療を受けさせない場合の対応も示されています．

▶本文：https://www.mhlw.go.jp/content/000998855.pdf

▶Q&A：https://www.mhlw.go.jp/content/001032125.pdf

「宗教的輸血拒否に関するガイドライン」

（宗教的輸血拒否に関する合同委員会，2008 年）

▶いわゆるエホバの証人輸血拒否事件の最高裁判決を受けて，日本輸血・細胞治療学会，日本麻酔科学会，日本小児科学会，日本産科婦人科学会，日本外科学会が合同で委員会を設置し，作成したガイドラインです．患者本人の年齢，意思決定能力，患者本人が未成年の場合の親権者の態度に応じて対応が整理されています．施設として絶対的無輸血を許容する場合にも，そうでない場合にも，参考になる内容になっています．

▶本文：https://anesth.or.jp/files/pdf/guideline.pdf

▶フローチャート：http://yuketsu.jstmct.or.jp/wp-content/themes/jstmct/images/medical/file/guidelines/Ref13-2.pdf

③緩和ケア

「2023 年版 がん患者の治療抵抗性の苦痛と鎮静に関する基本的な考え方の手引き」

（日本緩和医療学会ガイドライン統括委員会，2023 年）

▶患者に対する深い持続的鎮静を検討するさいに考慮すべき点を，学会としてまとめたガイドラインです．医学的に適切な対応にとどまらず，倫理的検討や法的検討，患者・家族との話し合いのプロセスについても解説されています．

▶ https://www.jspm.ne.jp/files/guideline/sedation_2023/sedation2023.pdf

「終末期がん患者の輸液療法に関するガイドライン」

（日本緩和医療学会，2013 年）

▶生命予後が 1 ヶ月以内と考えられる終末期がん患者を対象とした輸液療法の考え方を中心に取り扱っています．さらに，輸液の中止をめぐる倫理的問題や法的問題についても，学会としての立場が明確にされています．

▶ https://www.jspm.ne.jp/files/guideline/glhyd2013.pdf

④遺伝子診断

「医療における遺伝学的検査・診断に関するガイドライン」

（日本医学会，2022 年）

▶遺伝学的検査・診断を，医療の場において適切かつ有効に実施するために必要な事項が，検査の対象者の状態（発症者か保因者かなど）や検査の種類（確定検査か易罹患性診断かなど）の類型別に記述されています．遺伝情報を，本人の同意を得ないままに第三者へ開示する場合には，倫理カンファレンスや倫理委員会に諮る必要があるとされています．

▶ https://jams.med.or.jp/guideline/genetics-diagnosis_2022.pdf

⑤小児医療

「子ども虐待診療の手引き 第 3 版」

（日本小児科学会こどもの生活環境改善委員会，2023 年）

▶子どもの虐待について，その定義や法的根拠から，診療上の注意点，対応方法，地域連携，予防策についてまで詳細に説明されています．第 1 章 3 では，「子どもの権利とアドボカシー」として，「子どもへのわかりやすい説明」の必要性も述べられています．

▶ https://www.jpeds.or.jp/uploads/files/20220328_g_tebiki_3.pdf

「医療における子ども憲章」

（日本小児科学会，2022 年）

▶ 2022 年に公表されたこの憲章では，人として大切にされ，自分らしく生きる権利，子どもにとって一番よいこと（子どもの最善の利益）を考えてもらう権利など，11 項目の権利が明記されています．また，それぞれの権利に関する解説では，大人が子どもに対してとるべき姿勢が示されています．

▶ https://www.jpeds.or.jp/modules/guidelines/index.php?content_id=143

⑥身体拘束

「身体拘束予防ガイドライン」

（日本看護倫理学会，2015 年）

▶日々の看護の中で，してはいけないことと思いつつ，患者の安全や人員不足等を理由に「やむを得ないもの」とされることもある身体拘束について，あらためて考えるためのガイドラインです．ガイドラインを辿ることにより，拘束せざるをえない状況を生み出す患者自身の要因や環境要因を丁寧に再検討することができます．

▶ https://www.jnea.net/wp-content/uploads/2022/09/guideline_shintai_2015.pdf

「身体拘束ゼロへの手引き」

（厚生労働省身体拘束ゼロ作戦推進会議，2001 年）

▶ 2000 年に導入された介護保険制度にともない，介護保険施設における拘束は原則禁止とされました．この手引きは，不要な拘束を無くすために，どのような行為が拘束にあたるのか，拘束をする前に何を検討しなければならないのか，さらにはどのような条件であればやむをえないものとして拘束が認められるのか（身体拘束の 3 要件）を，丁寧に説明しています．

▶ https://www.fukushihoken.metro.tokyo.jp/zaishien/gyakutai/torikumi/doc/zero_tebiki.pdf

⑦高齢者ケア

「医療・看護を受ける高齢者の尊厳を守るためのガイドライン」

（日本看護倫理学会，2015 年）

▶看護の使命や役割を踏まえ，「終末期」や「人生の最終段階」に限定することなく，日々のケアにおいて配慮すべき点を包括的に取り上げています．チェックリストや，高齢者の尊厳が問われる具体的な場面をまとめた別紙も参考になります．

▶ https://www.jnea.net/wp-content/uploads/2022/09/guideline_songen_2015.pdf

「高齢者ケアの意思決定プロセスに関するガイドライン～人工的水分・栄養補給の導入を中心として～」

（日本老年医学会，2012 年）

▶医療，介護，福祉の専門職が，本人や家族（代理人も含む）と共に，経口摂取が困難になった高齢者を対象に，生命維持に必要な人工的な水分・栄養補給法の開始，減量，中止について検討するさいの道筋を示したガイドラインです．

▶ https://www.jpn-geriat-soc.or.jp/proposal/pdf/jgs_ahn_gl_2012.pdf

⑧認知症ケア

「身寄りがない人の入院及び医療に係る意思決定が困難な人への支援に関するガイドライン」

（平成 30 年度厚生労働行政推進調査事業費補助金（地域医療基盤開発推進研究事業）「医療現場における成年後見制度への理解及び病院が身元保証人に求める役割等の実態把握に関する研究」班，2019 年）

▶身寄りがない人，意思決定が困難な人が増加していることから，厚生労働省の人生の最終段階における医療・ケアの決定プロセスに関するガイドラインを基本に，判断能力が不十分で成年後見制度を利用している場合，利用していない場合などにおいて，適切な医療を受けることができるように支援する方法を具体的に解説しています．

▶本文：https://www.mhlw.go.jp/content/000516181.pdf

▶事例集：https://www.mhlw.go.jp/content/000976428.pdf

「認知症の人の日常生活・社会生活における意思決定支援ガイドライン」

（厚生労働省，2018 年）

▶認知症の人に対して，意思決定に関わる全ての人を対象としたガイドラインであり，意思決定支援のプロセスを，意思形成支援，意思表明支援，意思実現支援という三つの段階に区分し，それぞれの段階において具体的にどのような姿勢で対応することが望ましいのか，事例を用いて解説しています．

▶ https://www.mhlw.go.jp/file/06-Seisakujouhou-12300000-Roukenkyoku/0000212396.pdf

⑨アドバンス・ケア・プランニング

「新型コロナウイルス感染症（COVID-19）流行期において高齢者が最善の医療およびケアを受けるための日本老年医学会からの提言―ACP 実施のタイミングを考える―」

（日本老年医学会，2020 年）

▶新型コロナウイルス感染症の流行期においても，高齢者が「最善の医療およびケア」を人生の最終段階まで受ける権利を保障するため，適切に ACP を推進すべきであることを述べています．

▶ https://www.jpn-geriat-soc.or.jp/coronavirus/pdf/covid_teigen.pdf

「ACP 推進に関する提言」

（日本老年医学会，2019 年）

▶本提言では，アドバンス・ケア・プランニング（ACP）を，「将来の医療・ケアについて，本人を人として尊重した意思決定の実現を支援するプロセスである」と定義した上で，人生を物語りとして捉えること，意思は変遷するものであること，本人が言語化した意向の背景にも思いを寄せるべきであることなど，ACP において大切にすべきポイントが解説されています．

▶本文：https://www.jpn-geriat-soc.or.jp/press_seminar/pdf/ACP_proposal.pdf

▶事例集：https://www.jpn-geriat-soc.or.jp/proposal/acp_example.html

3 書　籍

（表示されている価格は，2024 年現在の税抜き価格です）

①資料集

『子どもの医療と生命倫理：資料で読む 第２版』

（玉井真理子，永水裕子，横野恵編，法政大学出版局，2012 年，3200 円）

▶子どもの医療をめぐる現状，これまでに出されてきた国内外の宣言，法律，判例，ガイドライン，関連する新聞記事などが網羅されています．丁寧な解説も付けられており，子どもをめぐる倫理コンサルテーションには必須の一冊といえます．

『医療の倫理 資料集 第２版』

（伊藤道哉編著，丸善出版，2013 年，2900 円）

▶国際的な倫理綱領から日本国内におけるガイドライン類まで網羅的に収載した資料集です．臨床試験や終末期医療などの領域に関しては，本書の刊行後に改訂・制定された法やガイドラインも多くあり，改訂がまたれます．

②ケースブック

『ケースブック 医療倫理』

（赤林 朗，大林雅之編著，医学書院，2002 年，2400 円）

▶医療や研究の現場において生じる 27 のケースが扱われており，典型的な価値の対立や苦悩を，医学，看護学，哲学・倫理学，法学など，学際的な視点から論じています．医療倫理をケースで学ぶ一冊と言えます．

『ケースで学ぶ医療福祉の倫理』

（菊井和子，大林雅之，山口三重子，斎藤信也編，医学書院，2008 年，2200 円）

▶現代の医療は，介護や福祉の支援なしには成り立ちません．しかし，両者が結びつけば結びつくほど，医学的に重要なことと生活上重要なことの対立が生じます．この本では，そうした事態に対してどのように振る舞えばよいのかを，事例を通じて学ぶことができます．

『Jurist 増刊 ケース・スタディ 生命倫理と法 第２版』
（樋口範雄編著，有斐閣，2012 年，3200 円）
▶臨床において生じる身近な問題から，最先端の技術に伴い生じる問題まで，15 のケースについて，弁護士，医師，倫理学者，看護職など，さまざまな専門家が詳細にコメントをしています．専門領域による視点の違いを知るのに役立ちます．

『ケースで学ぶ認知症ケアの倫理と法』
（松田純，堂囿俊彦，青田安史，天野ゆかり，宮下修一編，南山堂，2017 年，2000 円）
▶本書では，自宅や施設などの在宅における認知症ケアの場面において，医療・ケア従事者がしばしば直面する 19 のケースを取り上げ，そこに含まれる倫理的・法的な課題を明らかにするとともに，解決に求められる知識がまとめられています．

『介護現場の「困りごと」解決マニュアル：倫理的視点で読み解く 30 事例』
（中村裕子，中央法規出版，2019 年，2200 円）
▶著者が提案する「問題解決の 6 原則」を用いて, 介護現場においてしばしば遭遇する困りごとの具体的な事例を解説しています. 生命倫理や臨床倫理の基礎的な用語を知らなくても十分に理解できますので，特に介護に携わる初学者の役に立つでしょう．

『小児の医療倫理 ケーススタディ』
（Douglas S. Diekema, Mark R. Mercurio, Mary B. Adam 編（岡明監訳），メディカルサイエンスインターナショナル，2020 年，4500 円）
▶小児科領域における倫理的問題の 41 事例を，豊富な参考文献とともに解説しています．原著の発行が 2011 年と少し古く，アメリカのケースではありますが，日本の臨床倫理コンサルテーションでも十分に参考になる内容です. 小児事例の倫理コンサルテーションにおいて, 類似の事例がないか本書にあたるような使い方もよいでしょう．

『倫理コンサルテーション ケースブック』
（堂囿俊彦，竹下啓編著，医歯薬出版，2020 年，3600 円）
▶倫理コンサルテーションにおいて扱われるさまざまな問題をテーマごとに整理し，それぞれのテーマに関して「コンサルテーション前に確認しておく考え方」と「コンサルテーションにおける注意点」を解説しています．本書で紹介されている判例やガイドラインが具体的にどのような事例において参照されるのかを知ることもできます．

『在宅ケアの悩みごと解決マップ　ケースで現場の問題「見える化」します』
（堂囿俊彦，角田ますみ，北西史直，中村美智太郎編著，医歯薬出版，2023年，3200円）
▶この本では，在宅医療・ケアの現場において，医療・ケアを受ける本人，家族，医療・ケア従事者等の尊厳が問題となる16のケースを取り上げ，それらの問題を見える化した上で，問題を考えるためのヒントを提示しています．また，第3部では，ケースを用いて話し合うための具体的な方法も示されています．

③教科書等

『医療の倫理ジレンマ解決への手引き―患者の心を理解するために』
（バーナード・ロウ（北野喜良，中澤英之，小宮良輔監訳），西村書店，2003年，3800円）
▶医療現場の診療において頻繁に生じる重要な倫理的ジレンマを紹介し，それに関する基本的な考え方を概説しています．アメリカでは第6版が出版されるほど広く読まれています．ケースも豊富であり，医療倫理の基本的な枠組みを知る上で有益な一冊です．

『臨床倫理学入門』
（福井次矢，浅井篤，大西基喜編，医学書院，2003年，2800円）
▶臨床において生じるさまざまな問題を扱っていますが，特に終末期医療についての記述が充実しています．仮想事例をめぐるエシックス・ケース・カンファレンスも収録されており，倫理コンサルテーションの雰囲気を知ることができます．

『臨床倫理学－臨床医学における倫理的決定のための実践的なアプローチ 第5版』
（Albert R. Jonsen, Mark Siegler, William J. Winslade（赤林 朗，蔵田伸雄，児玉 聡監訳），新興医学出版社，2006年，3300円）
▶ジョンセンの4分割表を日本に広めることとなった教科書です．医学的介入の適応，患者の意向，クオリティ・オブ・ライフ，周囲の状況という，4分割表の区分に従って章が分けられ，豊富なケースで臨床倫理を学ぶことができます．

『病院倫理委員会と倫理コンサルテーション』
（D. Micah Hester編（前田正一，児玉 聡監訳），勁草書房，2009年，3600円）
▶病院倫理委員会の理念から実践までを学ぶことができます．倫理コンサルテーションについても，基本的な問いから，コンサルテーションにおける分析方法や報告書の作成まで，詳細に解説されています．初学者というよりは，すでに基本の学習がすんだ人や倫理コンサルテーションの実践をしている人が読むと，得るものが大きいでしょう．

『精神科臨床倫理 第 4 版』
（シドニー・ブロック，ステファン・グリーン編（水野雅文，藤井千代，村上雅昭，菅原道哉監訳），星和書店，2011 年，6800 円）
▶精神科臨床に関わる倫理について，生命倫理的な視点も含めて広範な論点を詳述した教科書です．個別のケースについて参照するというよりも，守秘義務，非自発的入院，自殺などの重要概念を確認する目的で使用するとよいでしょう．

『救急・集中治療における臨床倫理』
（前田正一，氏家良人編，克誠堂出版，2016 年，2900 円）
▶救急・集中治療における終末期医療や異状死などの倫理的問題が，有名な事例や裁判例などを交えながら，リスクマネージメントや法的な観点から解説されています．

『ヘイスティングス・センター ガイドライン 生命維持治療と終末期ケアに関する方針決定』
（Nancy Berlinger, Bruce Jennings, Susan M. Wolf（前田正一監訳），金芳堂，2016 年，4600 円）
▶生命・医療倫理に特化したアメリカのシンクタンクであるヘイスティングセンターが公表したガイドラインです．終末期における生命維持治療の中止や不開始について網羅的に扱われています．日米の違いはあるものの，章立てが細やかなので具体的な事例に困った時に参考になります．

『臨床倫理入門』
（箕岡真子著，日本臨床倫理学会監修，へるす出版，2017 年，3000 円）
▶臨床倫理に関する基本事項やトピックスを解説した初学者向けの教科書です．140 ページと十分に通読が可能なボリュームで，身体拘束や摂食嚥下障害など身近な話題も取り上げられていることから，さまざまな職種のスタッフ向け勉強会などにも適しています．

『臨床倫理入門Ⅱ　各科領域の臨床倫理』
（日本臨床倫理学会編，へるす出版，2020 年，3500 円）
▶『臨床倫理入門』の続編という位置付けです．前半は臨床倫理や臨床倫理コンサルテーションの基盤となる考え方がわかりやすく解説されています．後半では，疾患領域，医療・ケアが提供される場，特別なトピックが網羅的に取り扱われています．本書を通読した後に，『入門・医療倫理Ⅰ』とあわせて読むと，さらに理解が深まるでしょう．

『入門・医療倫理Ⅰ 改訂版』

（赤林 朗編，勁草書房，2017年，3300円）

▶倫理学および法学の基本的な知識から，医療現場で生じる倫理的・法的問題までを扱っており，現時点における日本の標準的で体系的な教科書を目指した内容になっています．医療現場において生じる対立を，倫理と法二つの観点から解説しています．

『ナースの“困った！”にこたえる こちら臨床倫理相談室』

（稲葉一人，板井孝壱郎，濱口恵子編，南江堂，2017年，3000円）

▶臨床で看護師が抱く釈然としない思いや悩みを取り上げ，看護師がその悩みを語り，専門家が倫理的，法的な観点からその相談に答えるというスタイルをとっています．第一部には，倫理コンサルテーションを含めた，倫理カンファレンスを実践するためのさまざまなノウハウが収められており，倫理コンサルテーションを実践しようと考えている人にとって参考になります．

『がん医療の臨床倫理』

（Colleen Gallagher, Michael Ewer 編（清水千佳子，高島響子，森雅紀訳），医学書院，2020年，8000円）

▶アメリカにおけるがん医療の中心的組織の一つであるテキサス大学 MD アンダーソンがんセンター倫理委員会メンバーが中心になり，がん医療にまつわる倫理的問題を網羅的に解説している書籍です．がんサバイバーにおける倫理，統合医療と倫理，がん研究における倫理，患者教育における倫理，商業主義，医療費問題，医療産業の問題，法令とコンプライアンスなど，幅広い分野について解説されています．

『名古屋第二日赤流！臨床倫理コンサルテーション 実例に学ぶ，本当に動けるチームの作り方』

（野口善令編，羊土社，2021年，3600円）

▶本書では，名古屋第二赤十字病院における臨床倫理コンサルテーションの立ち上げから運営，相談事例に対する検討や，検討した事例の振り返りといった一連の活動について紹介されています．これから立ち上げようと思っている施設だけでなく，自施設の活動の見直しにも有用と思われます．

『私たちの医療倫理が試されるとき　自己決定・自己責任論を超えて』

（齋藤正彦，井藤佳恵編著，ワールドプランニング，2021年，3600円）

▶老年精神医学雑誌「モラルチャレンジ：実践・臨床倫理」に掲載された論文を中心に再構成された書籍です．主に精神疾患患者，高齢・認知症患者への医療ケアをめぐる法的問題，行政との関わりなど，実例に基づいた解説や，カンファレンス等での参加者との質疑応答などが掲載されており，臨場感のある書籍となっています．

『臨床倫理の考え方と実践：医療・ケアチームのための事例検討法』
（清水哲郎，会田薫子，田代 志門編，東京大学出版会，2022年，2700円）
▶著者らの長年の研究および実践の成果をもとに，臨床倫理の基礎の解説した上で，各分野における事例検討が行われます．さらに，一歩進んだアドバンスト編では，ACPや，モラル・ケース・デリバレーション（倫理的問題を検討するための一つの手法）について丁寧な解説がされており，臨床倫理の初学者から上級者まで視野に入れた解説書となっています．

『はじめての リハビリテーション臨床倫理ポケットマニュアル』
（藤島一郎編集責任者，医歯薬出版，2023年，3200円）
▶本書では，臨床倫理に関わる基礎的な知識を踏まえながら，生活への復帰を支援するリハビリテーション領域において生じる倫理的問題に関する考え方が示されています．さらに，著者らが取り組んできた病院や地域における倫理コンサルテーションの活動についても紹介されており，今後活動を始める人にとっても参考になります．

『京大式　臨床倫理のトリセツ』
（児玉聡編集代表，佐藤恵子，竹之内沙弥香，松村由美編，金芳堂，2023年，3200円）
▶京都大学で2015年から開催された臨床倫理学入門コースのエッセンスを取り入れながら，倫理学や法学の理論や，倫理コンサルタントとして実践的な助言を提示する方法が解説されています．特にインフォームド・コンセント，意思決定支援，延命治療中止にまつわる問題，ACPについて紙面を割いて解説されています．

『臨床現場における臨床倫理Q&A　困ったときに手にとるガイド』
（国立病院機構別府医療センター臨床倫理コンサルティングチーム編，日本医学出版，2023年，1800円）
▶実際に活動している臨床倫理コンサルテーションチームが作成・利用しているQ&Aを土台としており，現場で実際に医療・ケア従事者が直面しうる倫理的な問いが扱われています．仮想事例をもとに，協議事項，検討内容，合意事項が記載されているQ&Aも多く収められており，倫理コンサルテーションを実際に進めるさいの参考になります．

4 映像（DVD）教材

『生命倫理を考える Discussions in Bioethics 終わりのない 7 編の物語』

（National Film Board of Canada オリジナル版制作, 赤林朗日本語版監修, 丸善, 2009 年, 全 7 巻, 100,000 円（分売不可））

▶オリジナル版はカナダで 1983 年に制作されました. 高齢者の肺炎, 宗教的理由による輸血拒否, 患者の最善の利益と病院の経営の対立, 出生前診断をめぐる夫婦の葛藤など, 現在にも通じる問題が扱われています. 1 編は長くても 15 分程度ですので, 講義や研修で利用するのにも適しています. 本シリーズは, 先行して販売されていた VHS を DVD 化したものですが, そのさい, 「ハッピーバースデー」という研究者倫理を扱ったエピソードが割愛されました.

▶ https://www.maruzen-publishing.co.jp/item/b301282.html

『医療倫理　いのちは誰のものかーダックス・コワートの場合ー』

（赤林 朗監修, 丸善, 2002 年, 全 1 巻, 40000 円）

▶前編（36 分）, 後編（26 分）, ダイジェスト版（17 分）から構成されています. 事故で全身の約 3 分の 2 に重度の熱傷を負う中, 治療の中止を望んだアメリカ人青年ダックス・コワートさんの治療経過とその後を追ったドキュメンタリー番組です. 治療後社会復帰した後の本人へのインタビューも含まれ, 治療中止やインフォームド・コンセントなどについて多角的に学習することができます.

▶ https://www.maruzen-publishing.co.jp/item/b301306.html

『ドラマで考える医療倫理』

（服部健司企画・監修, 伊東隆雄監修, art médical, 2009 年, 全 2 巻, 税込 98,000 円（1 巻 55,000 円））

▶治療の拒否や真実告知, 治療の不開始など, 医療倫理の主要トピックが扱われています. ドラマを通じて, 言葉では必ずしもうまく表現できない倫理的問題を, その背景も含めてディスカッションすることができます.

▶ https://www.medmedia.biz/

『改訂版 生命・医療倫理学入門』

（赤林 朗総監修, 丸善, 2013 年, 全 16 巻, 160,000 円（分売不可））

▶東京大学生命・医療倫理教育研究センターが, 研究倫理や臨床倫理の支援や教育に携わる人たちに対して開講している「生命・医療倫理学入門コース」の講義が収録されています. 講義の中には, 倫理コンサルテーションに関する講義および演習が含まれており, コンサルテーションの一連のプロセスを学ぶことができます.

▶ https://www.maruzen-publishing.co.jp/item/b301315.html

『終わりのない生命の物語 ~7 つのケースで考える生命倫理~』

（赤林 朗，手島恵総監修，鶴若麻理，佐藤雅彦，仙波由加里監修，丸善，2013 年，全 7 巻，245,000 円（1 巻 35,000 円））

▶ 1983 年にカナダで制作され，日本で監訳された「生命倫理を考える 終わりのない 7 つの物語」の構想を参考に，日本の医療制度や現場の状況に応じたシナリオで作成されています．7 編のケースには，生殖技術や出生前診断といった誕生をめぐる倫理的問題から，認知症高齢者，終末期医療，脳死臓器移植をめぐる倫理的問題まで取り扱っています．

▶ https://www.maruzen-publishing.co.jp/item/b301290.html

『映像でやさしく学ぶ 生命倫理と看護倫理の基礎』

（佐藤みつ子，森千鶴監修，東京サウンドプロダクション，2017 年，全 5 巻，各巻 32,000 円）

▶看護専門職の判断や行為において重要となる倫理綱領，倫理原則，倫理的配慮などについて，現場を再現しながら解説しています．また，医療ケアの意思決定を看護師が倫理的に適切な形で支援するための方法・手法をわかやすく解説しています．

▶ https://nur-ch.com/kango-rinri/rinri_yasashiku/

『終わりのない生命の物語 2 ~5 つのケースで考える生命倫理~』

（手島 恵，鶴若麻理監修，丸善，2018 年，全 5 巻，175,000 円（1 巻 35,000 円））

▶「終わりのない生命の物語 7 つのケースで考える生命倫理」の続編です．5 つのケースでは，身体拘束や重症新生児の治療と療養など，長く議論されてきた問題だけではなく，老老介護，トランスジェンダー患者の入院にともない生じる問題，医療・ケア従事者のワーク・ライフバランスなど，現代的課題も扱われています．

▶ https://www.maruzen-publishing.co.jp/info/n19194.html

『終わりのない生命の物語 3 ~5 つのケースで考える生命倫理~』

（鶴若麻理，手島恵監修，丸善，2023 年，各巻 45,000 円））

▶「終わりのない生命の物語」の 3 編目となる今回は，ACP，トリアージ，AYA 世代のがん医療など，現在の私たちが直面している課題に加え，ゲノム編集やロボット介護など，今後真剣な議論が必要とされる技術利用に関しても扱われています．

▶ https://www.maruzen-publishing.co.jp/search/s10127.html

5 インターネット

日本医師会ホームページ

▶「医の倫理」のページには,『医師の職業倫理指針』をはじめとした,倫理に関する情報が集められています.「医の倫理の基礎知識」や「医の倫理について考える現場で役立つケーススタディ」など,倫理的な検討をする上で有益な資料も掲載されています.

▶ https://www.med.or.jp/doctor/rinri/

日本看護協会ホームページ

▶「看護倫理」のページには,看護職の倫理綱領の他,「看護職のための自己学習テキスト」へのリンクが設定されています.テキストは,「基礎知識編」と「事例検討編」に分かれ,倫理を理論と実践から学べるようになっています.

▶ https://www.nurse.or.jp/nursing/rinri/index.html

バイオエシックス・セミナー

▶日本の生命・医療倫理のパイオニアである木村利人氏(早稲田大学名誉教授)が,看護学雑誌に連載したセミナーを読むことができます.30年以上前に書かれたものですが,いまでも十分に通用する読み応えのある内容です.

▶ http://www.bioethics.jp/cyber-seminar-j.html

臨床倫理ネットワーク日本

▶清水哲郎氏(岩手保健医療大学客員教授)を中心とする,臨床倫理プロジェクトのページです.オンラインでの臨床倫理セミナーの他,事例を検討するためのさまざまなコンテンツが提供されています.会員登録することにより,オンライン上で情報交換をすることもできます.

▶ http://clinicalethics.ne.jp/

生命・医療倫理情報

▶生命倫理や医療倫理に関するイベント,TV番組,書籍,新聞記事などの情報をまとめて発信しているFacebookページです.医療倫理に関する社会の動きや臨床倫理に関するセミナー・講演会の開催情報を知る上で役に立ちます.

▶ https://www.facebook.com/biomedicalethics.info/

COLUMN

裁判例はどのように調べるの？

裁判例は，判決が出された年月日と裁判所，あるいは事件番号で特定されます．これらが分かっているときには，裁判所のホームページにある裁判例情報で検索をすることができます．ただし，このデータベースに含まれている判例の数は限られています．さらに多くの裁判例を検索したいということであれば，判例データベースを作っている会社と契約をするという選択肢もあります．しかし，この場合には有料になりますし，病院長の許可も必要になるかもしれません．そのため，上記の裁判例情報で入手できない判例については，顧問弁護士や，病院の倫理委員会に参加している法学の専門家に確認するのがよいでしょう．法学部を有している総合大学であれば，大学として契約している場合もあるでしょう．

memo

memo

A病院臨床倫理委員会規程

制定　○○年○○月○○日

（設置目的）

第１条　A病院（以下「当院」という）における医療・ケア（臨床研究を除く）が，倫理的及び法的規範に即して実施されるよう支援することを目的に，当院に臨床倫理委員会（以下「委員会」という）を設置する．

（所掌事項）

第２条　委員会は，当院で行う医療・ケアについて生じる，または生じる可能性の高い倫理的問題に関し，次に掲げる事項を所掌する．

（１）倫理コンサルテーションに関すること
（２）臨床倫理の方針，ガイドライン等の策定及び改定に関すること．
（３）確立していない医療行為に関すること．
（４）臨床倫理に関する教育及び研修の企画・立案に関すること．
（５）その他臨床の倫理的問題への対応に関すること．

（組織等）

第３条　委員会は，次の各号に掲げる委員をもって組織する．

（１）副院長
（２）医療安全部門の長
（３）医師（内科系，外科系，救急部）
（４）看護師
（５）薬剤師
（６）臨床心理士
（７）社会福祉士
（８）学外の有識者
（９）事務部のスタッフ
（10）その他病院長が必要と認めた者

> 臨床倫理委員会に入っている必要があるメンバー，入っていることが望ましいメンバーについては，**第２章 表３**を参照してください．

２．委員会の委員は男女両性で構成されなければならない．
３．前項の委員は，病院長が指名または推薦し，病院運営会議の議を経て，病院長が委嘱する．
４．委員長は病院長が指名する．

5．副委員長は委員長が指名する．

（任　期）

第４条　第３条第１項の委員の任期は２年とする．ただし，再任を妨げない．

2．欠員により補充された委員の任期は，前任者の残任期間とする．

（委員会の成立及び議事）

第５条　委員会は，本規程第３条第１項に規定する委員の過半数の出席がなければ開くことはできない．

2．議事の判定は，出席委員全員の合意を原則とする．ただし，内容の緊急性を鑑み，委員長が必要と認める場合には，出席委員の３分の２以上の合意をもって決することができる．

（委員会の招集及び議長）

第６条　委員会は，原則として１ヶ月に１回開催するものとする．ただし，委員長が必要と認めるときは，臨時に開催することができる．

2．委員長は，委員会を招集し，その議長となる．

3．委員長は，委員以外の者の出席を求め，専門的立場からの説明又は意見を聴くことができる．

4．副委員長は，依頼者が委員長であるとき又は委員長に事故があるときは，その職務を代行する．

（報告）

第７条　委員長は，委員会の議事を病院長に報告するものとする．

（守秘義務）

第８条　委員会の出席者は，職務上知り得た情報を漏洩してはならない．なお，委員を退いた後も同様とする．

（倫理コンサルテーションチーム）

第９条　委員長は，医療・ケアに関わる倫理的問題に対応するため，委員会の下部組織として，倫理コンサルテーションチームを設置する．

2．倫理コンサルテーションチーム運営規程は別に定める．

（委員会の事務）

第10条　委員会の事務は，事務部が主管する．

2．委員会の議事及び関係資料は10年間保存する．

（規程の改廃）

第11条　この規程の改廃は，委員の３分の２以上の同意を必要とし，病院長の承認を受けるものとする．

（雑　則）

第12条　この規程に定めるもののほか，委員会の運営に関し必要な事項は，委員会の議を経て，委員長が別に定める．

（附　則）

１．この規程は，○○年○○月○○日から施行する．

２．本規程は，○○年○○月○○日開催，第○○回Ａ病院運営会議で承認された．

A病院倫理コンサルテーションチーム運営規程

制定　○○年○○月○○日

（趣　旨）

第１条　この規程は，A病院臨床倫理委員会規程第９条の規定により設置される倫理コンサルテーションチーム（以下「コンサルテーションチーム」という）について必要な事項を定めるものとする．

（支援活動）

第２条　コンサルテーションチームは，医療・ケアに関わる倫理的問題について，医療・ケアチームを支援する活動（倫理コンサルテーション）を行う．

> どのような問題を倫理コンサルテーションに依頼するかは，コンサルテーションの規程ではなく，診療ガイドライン，ケアの手順書，安全マニュアルなどに入れましょう．こうすることで，より多くのスタッフに倫理コンサルテーションの存在を知ってもらうことができます．

（組織等）

第３条　コンサルテーションチームは，次の各号に掲げるメンバーをもって組織する．

（１）医師

（２）看護師

（３）社会福祉士

（４）その他，臨床倫理委員会の委員長が必要と認める者

> コンサルテーションチームに入っている必要があるメンバー，入っていることが望ましいメンバーについては，➡第２章 表４を参照してください．

２．前項の委員は，A病院臨床倫理委員会規程第３条に規定する委員長（以下「臨床倫理委員長」）が選出し，病院長が委嘱する．

３．コンサルテーションチームに，コンサルテーションチーム責任者（以下「責任者」という）を置く．責任者は，臨床倫理委員長が任命する．

（任　期）

第４条　メンバーの任期は２年とする．ただし，再任を妨げない．

２．欠員により補充されたメンバーの任期は，前任者の残任期間とする．

（依頼手続き）

第５条　医療・ケアに携わる病院のスタッフは倫理コンサルテーションを依頼することができる．

２．依頼者は，別紙様式第１号に必要事項を記入し，事務部を通じて責任者へ提出する．

３．緊急の場合，特段の守秘を要する場合には，依頼者は直接責任者に依頼を行うことができる．

本書では，依頼をするさいに，依頼者が所属長や主治医の承認を得る必要はないという立場を取ります．ただし，病院の状況によっては，承認を原則必要とするという立場を取ってもよいでしょう

（協議実施の判断と担当者の選出）

第６条　責任者は，倫理コンサルテーションの依頼を受け，協議を行う必要があると判断した場合には，その事例を担当するメンバー（以下「担当者」という）を１名以上選任する．

２．責任者は，依頼に対応する上で協議を行う必要がないと判断する場合には，責任者から依頼者へその旨を回答するとともに，必要な対応を行う．

協議を行う必要がない場合とは，倫理コンサルテーションの対象ではない依頼や，倫理コンサルテーションの対象となる依頼のうち，協議なしでも解決できる依頼を意味します．➡第３章－❸－①および②を参照してください．

（協議方法の選択）

第７条　担当者は，以下のいずれかの形式により協議を行った上で，依頼者へ回答を行う．

（１）担当者が依頼者や医療・ケアチーム等とともに，多職種による協議を行う．

（２）担当者が個人で依頼者と協議を行う．

（３）臨床倫理委員会において協議を行う．

ここで挙げた協議方法は，➡第３章－❸－③で述べた，「三つのコンサルテーション・モデルへの振り分け」に対応します．

（報　告）

第８条　本規程第６条の協議内容及び第７条の回答内容は，Ａ病院臨床倫理委員会に報告する．

２．責任者は，協議結果を別紙様式第２号により依頼者及び所属長に通知するものとする．

（守秘義務）

第９条　コンサルテーションチームは，職務上知り得た情報を漏洩してはならない．その職を退いた後も同様とする．

（コンサルテーションチームの事務）

第10条　事務は，事務部○○課が主管する．

２．倫理コンサルテーションの実施記録及び関係資料は10年間保存する．

（規程の改廃）

第11条　この規程の改廃は，A病院臨床倫理委員会の議を経て病院長の承認を以って行うものとする．

（雑　則）

第12条　この規程に定めるもののほか，コンサルテーションチームに関し必要な事項は臨床倫理委員長が別に定める．

附　則

１．この規程は，○○年○○月○○日から施行する．

２．この規程は，○○年○○月○○日開催，第○○回A病院運営会議で承認された．

【様式第１号】

倫理コンサルテーション依頼書

倫理コンサルテーションチーム責任者 殿

依頼日　　　　年　　　月　　　日

依頼者

所　属

氏　名

今般，下記の事案について，倫理コンサルテーションを依頼します．

記

患者氏名		カルテ番号	
依頼理由	□ コンサルテーションへの依頼が院内指針において定められている． 指針名：		
	□ 具体的に困っていることがある． 概要：		
緊急度	□ 緊急の対応が必要 □ 待つことは可能		

以上

提出先：事務部○○課

付録A

【様式第2号】

年　　　月　　　日

依頼者

殿

倫理コンサルテーションチーム

責任者

倫理コンサルテーション結果通知書

先般依頼のありました倫理コンサルテーションの依頼について，下記のとおり通知します.

記

患者氏名		カルテ番号	
事例の概要			
依頼内容			

コンサルテーション・ミーティング（□ 開催した　□ 開催しなかった）

日時	年　　月　　日	場所	
出席者			
議事概要			

コンサルテーション結果

依頼案件における倫理的問題	
協議の結果とその理由	

以上

付録A

付録A

倫理コンサルテーション実施記録

1 基本情報

<table>
<tr><td>依頼受付日</td><td colspan="3"></td></tr>
<tr><td rowspan="2">依頼者</td><td colspan="3">氏名</td></tr>
<tr><td colspan="3">職種</td></tr>
<tr><td>主担当
コンサルタント</td><td colspan="3"></td></tr>
<tr><td rowspan="2">依頼理由</td><td colspan="3">□ コンサルテーションへの依頼が院内指針において定められている.
指針名：</td></tr>
<tr><td colspan="3">□ 具体的に困っていることがある.
概要：</td></tr>
<tr><td rowspan="5">緊急度</td><td colspan="3">依頼者による判断</td></tr>
<tr><td>□ 緊急の対応が必要</td><td colspan="2">□ 待つことは可能</td></tr>
<tr><td colspan="3">コンサルタントの判断</td></tr>
<tr><td>□ 緊急の対応が必要</td><td colspan="2">□ 待つことは可能</td></tr>
<tr><td colspan="3">両者の判断が相違していた場合にはその理由：</td></tr>
<tr><td rowspan="3">対応モデル</td><td>□ チーム</td><td>□ 倫理委員会</td><td>□ 個人</td></tr>
<tr><td>モデル変更</td><td>□ あり</td><td>□ なし</td></tr>
<tr><td>変更理由</td><td colspan="2"></td></tr>
</table>

2 患者情報

氏　名		年　齢	
性　別		カルテ番号	
主治医		関係者	

3 事例に関する情報

カルテの確認	□ した
	□ しなかった 理由：
医学的情報	
患者の意向	
家族などの意向や状況	
医療・ケアチームの考え	
関連するルールやガイドライン	

付録A

4 コンサルテーション・ミーティング

<table>
<tr><td rowspan="3">開　催</td><td colspan="4">□ した</td></tr>
<tr><td colspan="4">□ しなかった</td></tr>
<tr><td>理由</td><td colspan="3">□ 開催する必要がなかった
□ 扱われる情報がセンシティブ
□ 医療・ケアチームのなかにコンサルテーションへの依頼に反対する可能性の高い・反対しているメンバーがいる
□ その他</td></tr>
<tr><td rowspan="3">開催形態</td><td colspan="4">□ 医療・ケアチームのカンファレンスに参加</td></tr>
<tr><td colspan="4">□ 倫理コンサルタントがミーティングを開催</td></tr>
<tr><td colspan="4">□ 緊急のため倫理コンサルタントと依頼者で開催</td></tr>
<tr><td>日　時</td><td colspan="2">年　　月　　日</td><td>場　所</td><td></td></tr>
<tr><td rowspan="2">出席者
（職種）</td><td>主治医の参加</td><td>□ 有　　□ 無</td><td>職種数</td><td></td></tr>
<tr><td colspan="4"></td></tr>
<tr><td>議事概要</td><td colspan="4"></td></tr>
<tr><td rowspan="3">二度目の開催</td><td colspan="4">□ した</td></tr>
<tr><td>理由</td><td colspan="3">□ 必要なメンバーが出席しなかった
□ 必要な情報が欠けていた
□ その他</td></tr>
<tr><td colspan="4">□ しなかった</td></tr>
</table>

5 コンサルテーション結果

<table>
<tr><td>倫理的問題</td><td colspan="2"></td></tr>
<tr><td rowspan="3">協議結果</td><td colspan="2"></td></tr>
<tr><td rowspan="2">助言</td><td>□ した
内容：</td></tr>
<tr><td>□ しなかった</td></tr>
<tr><td rowspan="2">関係者間の対立</td><td colspan="2">□ 解消した</td></tr>
<tr><td colspan="2">□ 解消しなかった
理由：</td></tr>
<tr><td>結果通知書交付日</td><td colspan="2">年　　月　　日</td></tr>
<tr><td rowspan="2">医療・ケアチームの対応</td><td colspan="2">□ 協議結果に沿って対応した</td></tr>
<tr><td colspan="2">□ 協議結果とは異なる対応をした
理由：</td></tr>
<tr><td>その後の経過</td><td colspan="2"></td></tr>
</table>

6 フィードバック・シート

配　布	□ した
	□ しなかった 理由：
配布枚数	
回収枚数	

7 事後評価

フィードバック・シート

倫理コンサルテーションへ依頼してくださり，ありがとうございました．倫理コンサルテーション・サービスに対するあなた（依頼者）の意見を教えてください．

		全くそう思わない	そう思わない	どちらとも言えない	そう思う	非常にそう思う
1	解決しなくてはいけない点を明確にしましたか．	□	□	□	□	□
2	倫理の専門家としてのアドバイスをしましたか．	□	□	□	□	□
3	倫理的知識やガイドラインなど，有益な情報を提供しましたか．	□	□	□	□	□
4	説明はよく理解できましたか．	□	□	□	□	□
5	あなたや参加者の意見は尊重されていましたか．	□	□	□	□	□
6	医療・ケアチームを支援するような対応でしたか．	□	□	□	□	□
7	意見の不一致を解消しましたか．	□	□	□	□	□
8	全体として，倫理コンサルテーションは有用だと思いましたか．	□	□	□	□	□

9	コンサルテーションでは，何らかの助言がありましたか．	□ はい	□ いいえ
10	医療・ケアチームは，コンサルテーションの結果（助言を含む）に沿った対応をしましたか．	□ はい	□ いいえ

倫理コンサルテーション・サービスについてご意見があれば，自由にご記入下さい．

ご回答，ありがとうございました．

付録A

【様式第３号】

誓約書

私は，本倫理コンサルテーションに参加するにあたり，以下のことを誓約します．

1. 検討した事例において問題となっている患者，家族，医療・ケア従事者等の情報を，当事者の許可なく口外しません．
2. 自由闊達な議論を保証するために，この会での意見や結論を，発言者の許可なく口外しません．
3. この会で検討した結論を類似のケースに機械的にあてはめることはせず，それぞれの個別の事情を踏まえて検討します．

年　　月　　日

氏　名 ＿＿＿＿＿＿＿＿＿＿＿＿＿＿＿＿

この誓約書は，院外倫理コンサルテーションを実施するさいに使用するためのものです．院外倫理コンサルテーションにおける個人情報の扱いに関しては，第６章－❶－③を参照してください．

身体的拘束最小化のための指針[1]

1．はじめに

身体的拘束は患者の尊厳を害し，自由を制限するのみならず，身体的にも精神的にも弊害を伴うため，身体的拘束を行わないことが原則である．他方，私たちはすべての患者が安全に医療を受けられるようにする義務も負っており，患者本人や他の患者に危害を防止するためには，やむを得ず身体的拘束を行わなければならないこともありえる．

そこで，身体的拘束を行わざるを得ないさいの適切なプロセスを提示することを目的に，この指針を作成した．

付録A

2．身体的拘束の定義とこの指針の適用範囲

この指針でいう身体的拘束は「抑制帯等，患者の身体又は衣服に触れる何らかの用具を使用して，一時的に当該患者の身体を拘束し，その運動を抑制する行動の制限」と定義する．

疾患の治療のためではなく，患者の行動を制限することを目的に向精神薬等を使用する場合もこの指針の対象とし，身体的拘束と同様に取り扱う．治療抵抗性の苦痛を緩和することを目的に鎮静を行うことは本指針の対象外であるが，実施する場合には，原則として，事前に緩和ケアチームにコンサルテーションを行い，倫理的，医学的に適切な方法を選択する．

3．身体的拘束を行うことがやむを得ない場合の要件

当院では身体的拘束を行わないことが原則である．ただし，次の3要件を全て満たす場合に限り，最小限度の期間，適切な方法で身体的拘束を行う．

（1）患者本人又は他の患者等の生命や身体が危険にさらされる可能性が著しく高いこと（切迫性）

（2）身体等拘束その他の行動制限を行う以外に代替手段がないこと（非代替性）

（3）必要最低限の期間であること（一時性）

4．身体的拘束を行うことがやむを得ない場合の判断

当院では，上記3要件については，医師と看護師を含む多職種で検討し，医

1　本書の他の箇所では「身体拘束」という表現を用いていますが，ここでは，令和6年度診療報酬改定において「身体的拘束を最小化する取組の強化（入院料通則の改定③）」が示されたことを踏まえ，「身体的拘束」という表現とその定義を使用します．厚生労働省保険局医療課「令和6年度診療報酬改定の概要（医科全体版）」令和6年3月5日版．p.35．
https://www.mhlw.go.jp/content/12400000/001252076.pdf

師が指示をする．

なお，切迫性のある事態とは，以下のような状況が考えられるが，他の手段を取れば回避できる可能性（代替性）の検討を怠ってはならない．

（1）患者が，適切な説明を行なっても安静度を理解できず，転倒・転落で受傷することが予測される場合

（2）制止にもかかわらず，他の患者へ危害を与えることが予測される場合

（3）点滴等のカテーテル類，気管チューブ，ドレーン等が挿入中で，自己抜去の結果，重篤な健康被害が予測される場合

（4）患者が全身又は局所の安静を保てないために，医学的に不可欠な検査や治療を行えない場合

5. 説明と同意のプロセス

（1）身体的拘束を実施する時は，医師が患者に必要性を説明し，文書で同意を得ることが原則である．手術後のせん妄等，身体的拘束が必要になることが予測される場合においては，患者に事前に説明し，同意を得ておいてもよい．なお，事前の同意があっても，前述した3要件が必須である．

（2）患者の意思決定能力が十分ではない場合には，患者の意思と利益を代弁できる家族等から代諾を得る．

（3）患者の同意も家族等の代諾も得られない場合は，身体的拘束をしないことで起こりうる不利益や危険性を患者や家族等に十分に説明した上で，身体的拘束を実施しないこととなったプロセスを診療録と看護記録に記載する．

（4）患者の同意と家族等の代諾のいずれも得られなくても，身体的拘束を行わないことによって予測される患者本人や他の患者等への危害が重大である場合には，身体的拘束を行うことができる．ただし，その場合には，身体的拘束を行うに至った経緯を診療録と看護記録に詳細に記載する．また，身体的拘束を行う前に倫理コンサルテーションを依頼するよう努めるとともに，事後的であっても可及的速やかに倫理コンサルテーションを依頼し，身体的拘束の継続の可否や行なった身体的拘束の妥当性について検討する．

（5）意思決定能力のない患者で，直ちに身体的拘束を行う必要があるにもかかわらず，適時に家族等から代諾を得ることができない場合，身体的拘束を行うことができる．その場合，身体的拘束を行うに至った経緯を診療録と看護記録に詳細に記載するとともに，可及的速やかに家族等に説明し代諾を得る．

（6）意思決定能力のない患者で，患者の意思と利益を代弁できる家族等が存

在しない場合は，身体的拘束を行うに至った経緯を診療録と看護記録に詳細に記載する．また，身体的拘束を行う前に倫理コンサルテーションを依頼するよう努めるとともに，事後的であっても可及的速やかに倫理コンサルテーションを依頼し，身体的拘束の継続の可否や行なった身体的拘束の妥当性について検討する．

6．身体的拘束の方法と身体的拘束中の評価

（1）身体的拘束を実施する場合は，身体的拘束による不利益やリスクが最小となる方法を選択しなければならない．

（2）身体的拘束を行っている期間，担当の看護師は，各勤務帯に少なくとも1回は拘束部位等の異常の有無と身体の安全を損なう行動の可能性を評価し，看護記録に記載しなければならない．

（3）身体的拘束を行っている期間，医師は，原則として毎日診察し，身体的拘束の方法の妥当性や継続の要否について看護師とともに検討し，その結果を診療録に記載しなければならない．

7．身体的拘束の中止

（1）身体的拘束が不要になった場合には，速やかに中止しなければならない．

（2）身体的拘束を継続する必要性があるにも関わらず，意思決定能力を有する患者や家族等から中止を求められた場合には，医師と看護師が協議の上，医師，看護単位責任者等が身体的拘束を中止することの不利益と危険性を患者・家族等に十分に説明した上で，身体的拘束を中止するのが原則である．

（3）（2）の状況において，身体的拘束の中止が，患者本人や他の患者に重大な危害をもたらす可能性が高い場合には，身体的拘束を中止する前に倫理コンサルテーションを依頼する．

8．身体的拘束最小化への取り組み

（1）看護単位責任者は，当該看護単位で身体的拘束を受けている患者の概要と身体的拘束の態様を日報で看護部に報告する．

（2）看護部は，日報を取りまとめ，前月の身体的拘束の状況を身体的拘束最小化対策委員会に報告する．

（3）身体的拘束最小化対策委員会は，当院における身体的拘束の実施状況を少なくとも月に1回検討し，病院長に対して身体的拘束の最小化のために必要な助言を行う．

（4）身体的拘束最小化対策委員会は，少なくとも年に1回，職員に対して身体的拘束の最小化のための研修を実施する．

9．身体的拘束以外の行動制限についての考え方

（1）離床センサーや監視カメラ等を使用する場合は，患者の同意あるいは家族等からの代諾を受けることを原則とする．患者の同意も家族等からの代諾も得られない場合には，医師と看護師で必要性を協議し，方針を決定する．必要に応じて倫理コンサルテーションを依頼する．

（2）高圧的な言葉によって患者の行動を制限することは行なってはならない．

10．院内暴力への対応

明らかな暴力行為で，他の患者や職員に危害が及ぶ恐れがある場合には，直ちに警備室担当者（PHS ○○○○）に応援要請をするとともに，ためらわずに警察へ通報する．

11．この指針の見直し

この指針は少なくとも1年に1回，身体的拘束最小化対策委員会において修正の要否を検討する．改廃が必要な場合は，身体的拘束最小化対策委員会が起案し，病院臨床倫理委員会の議を経て，病院経営会議で決定する．

仮想倫理コンサルテーション

【参加者】

・コンサルテーションチーム
- アイザワ：医師，チームリーダー
- イシカワ：看護師
- ウエダ　：社会福祉士

・依頼者
- エノモト：医師（透析専門医）
- オオタ　：看護師

0 イントロダクション

アイザワ　それではこれからエノモト先生から依頼のありました事例に関してミーティングを始めます．エノモト先生，本日はお忙しいところありがとうございます．まずはコンサルテーションチームの自己紹介を．私はチームリーダーを務めているアイザワといいます．呼吸器内科に所属しながら倫理委員会やコンサルテーションの活動もしています．

イシカワ　コンサルテーションチームのイシカワです．バックグランドは看護師です．

ウエダ　ウエダです．社会福祉士としてコンサルテーションチームに参加しています．事前の情報整理のさいにはお世話になりました．

エノモト　こちらこそ，お時間をいただきありがとうございます．腎臓内科のエノモトです．自分の対応を批判されるのではないか…と怖気づいてなかなか依頼できずにいましたが，スタッフの疲弊をこれ以上放置することもできませんので，思い切ってお願いをしてみました．本日はよろしくお願いします．

オオタ　エノモト先生とともに患者さんに関わっているオオタです．私も少し緊張していますが，本日はよろしくお願いします．

アイザワ　ありがとうございます．倫理コンサルテーションは医療者の皆さんをサポートするためのものですので，どうぞ心配なさらず．

1 ケースおよび問題点の提示

アイザワ　それではさっそくコンサルテーション・ミーティングを始めていきたいと思います．まずはエノモト先生から，今回のケースについて，問題と考えておられる点も含めてお話しいただけますか．

エノモト　はい，患者であるカナザワさんは40歳男性の方です．1年程前に透析を導入されましたが，その当時は仕事をしていたH県にお住まいで，近くの個人病院で透析を受けていたそうです．当院で維持透析治療を受けることになったのは，仕事を辞めて実家に戻られた半年前からです．でもカナザワさん，予約時間の通りに来てくれないことが多いのです．予定日に来院しないこともしばしばで，透析の間隔が中3日空いてしまうこともあるほどです．透析を受けないと危ないということは繰り返し伝えているのですが，コミュニケーションが難しくて，どのように対応してよいのか困っています．オオタさん，追加があればお願いします．

オオタ はい，カナザワさんのお身体はもちろんなのですけど，対応するスタッフのことも心配です．カナザワさん，夕方に来ることもあって…．時間外なのですけど，後から責任を問われるのも困るので遅い時刻からでも透析をできるよう対応していますが，スタッフの疲労も無視できないレベルになっています．こんな感じで大丈夫でしょうか？

2 情報の共有と確認

アイザワ ありがとうございます．十分です．患者さんの生命も，スタッフの健康も守りたい，でもそれを難しくしている状況があるということですよね．よく分かりました．それではまず，今お話しいただいた内容も踏まえ，情報を共有し，足りないものがないか確認したいと思います．お手元の表をご覧ください．これは4分割表（➡p.161）と呼ばれるもので，倫理的課題を検討するさいに広く使われており，私たちのチームでも利用しています．依頼をいただいた後，情報を収集，整理するためにウエダさんにお時間をいただきましたが，そのさいに伺った情報がすでに入っています．ここに記載されていないことを中心に，確認していきましょう．

まず，医学的適応ですが，カナザワさんは末期腎臓病で透析が必要な状況なのですね．透析自体は特に問題なく実施できていると伺いました．ちなみに，透析を行わない場合，どのような転帰が予想されますか．

エノモト 透析を中止した場合，2週間以内に亡くなる可能性が高いです．亡くなる前にさまざまな症状が出現します．前医でも本人が来院しないために透析の間隔が空いてしまい，息が苦しくなってから来院し，肺水腫と診断されて緊急入院したことが何度かあったようです．

イシカワ なるほど．呼吸困難になると自ら来院して，透析を受けるのですね．患者の意向に関わりますが，ご本人に，透析を中止したいとか，生命を短縮したいという気持ちはあるのでしょうか．

ウエダ 事前の情報収集の段階では，透析をやめたいのか，続けたいのか，あるいは別の形で続けたいのか，透析治療に対するご本人の希望が分かりませんでした．この点に関して確認をお願いしていましたが，いかがだったでしょうか．

エノモト　何度か私から話題にはしてみたのですが，「あんたたちはどうせ俺の話を聞かない」と言われてしまって，答えてくれませんでした．私の印象では，透析の必要性や透析をしなかった場合にどうなるかについてもよくご存じだと思いますし，透析を中止して死を迎えたいと考えているわけではないと思います．

アイザワ　カナザワさんが何か精神的な問題を抱えている可能性はありそうでしょうか．

ウエダ　私もその点はとても気になります．もとは公務員だったとのことですので，透析について職場の理解は得られやすいでしょうし，40歳で退職されたのには他に理由があるのではないかと思います．

オオタ　臨床心理士の面接では，気分障害がありそうとのことでしたが，精神科医の診察を受けていないので，なんとも言えないところです．精神科受診をお願いしているのですが，ご本人が拒否されています．

アイザワ　ありがとうございます．次にQOLについてですが，ご本人が大事にしていることとか，これは避けたいということはあるのでしょうか．

オオタ　医療従事者からの干渉は好まないようです．定期受診をお願いしても口論になってしまい，スタッフが疲弊してしまいます．

アイザワ　最後に，周囲の状況について整理しましょう．

イシカワ　よろしいでしょうか．現在ご実家でお母様と二人で暮らしているということだったのですけど，お母様の状態，つまり介護が必要なのかとか，そこら辺の情報確認をチームからお願いしていましたが，何か分かったことはありますか？　ひょっとしたら実家に戻られたり，予定通りに来られないのは，お母様の介護が影響しているのかもしれないなと思って．

オオタ　ご本人にそれとなくお母様のことを聞いてみましたが，週3日パートの仕事をされていて，自立した生活はできているとのことでした．

アイザワ　確認していただきありがとうございます．できれば，お母様がカナザワさんの透析が途絶えがちなことについてご存じなのか，どう捉えていらっしゃるのかを知りたいですね．

オオタ　私たちもお母様に連絡し，協力を得たいと思っているのですが，ご本人が連絡自体を拒絶しそうな気がします．

ウエダ　確かにその可能性はありますが，本人の利益のために必要であれば，連絡を試みる価値はあるかもしれませんね．

アイザワ　あと，周囲の状況で確認しておくこととして，適用されるガイドラインのことも気になりますが…なかなか難しいですね．透析の見合わせを希望しているわけではないので，透析医学会の提言や厚生労働省のプロセスガイドラインの対象というわけでもないでしょう．

オオタ　現場としては，定期の透析に受診しないときの対応に時間を取られますし，ご本人との会話のストレスで気持ちが消耗し，本当に疲弊しています．診療拒否ができないのかと思うこともあるほどです．

アイザワ　なるほど．そうすると，現場で考えている選択肢としては，定期の透析受診に向けてお母様の協力を求めてもっと介入をしっかり行なっていくことから，場合によっては診療をお断りして転院をお願いすることまで，念頭にあるということですね．

3 原則にもとづく評価①

・第一段階：選択肢の評価

アイザワ　次に倫理的検討を進めていきましょう．はじめは，医療・ケアチームのみなさんがとりうる選択肢について，善行原則・無危害原則に基づいて検討しましょう．医学的には，定期的な透析が必須ということでしょうか．

エノモト　はい，定期受診をしっかりしていただくことが大切です．そのためにはお母様の協力，もし定期受診できないことに精神疾患が関係しているのであれば，精神科受診が必要だと思っています．

アイザワ　母親に連絡することや，精神科を受診することについて，本人の同意が得られないという問題がありますね．

オオタ　もうひとつ，予約外や時間外であっても透析を希望して来院したら，透析を行うという選択肢も考えられます．以前のように肺水腫になるまで受診しないことも起こるかもしれませんが，定期受診よりも，来院したらとりあえず透析を実施する方が現実的な気がします．

アイザワ　なるほど，本人の希望するタイミングで透析を行うということですね．

ウエダ　本人への害を避けるという点からは，時間外であっても当方から透析を断るのは難しいかもしれません．

・第二段階：患者の意向を踏まえた選択肢の評価

アイザワ　それでは，カナザワさんの意向を踏まえたとき，どの選択肢がもっとも望ましいのかということですが，いかがでしょうか．

エノモト　そもそも，ご本人がどのように考えているのか分からないから，相談をさせていただいている…という部分も大きいです．

オオタ　透析をしっかり継続しなければ命の危険があることを医師と看護師は伝えているのですが，返事をしてくれなかったり，反論をしたりで，そもそもの関係づくり自体がなかなか難しくて….

イシカワ　大変ですよね．「本人の気持ちを知るために何をすればよいのか」を考えてみるのはどうでしょう．まずは，すでに4分割表に書かれていることですが，ご本人の意思決定能力に問題はないということでよいでしょうか．

エノモト　面談をした臨床心理士の話では，意思決定能力自体には問題ないのではないかとのことでした．私もそう思います．ただ，先ほどオオタさんがおっしゃっていたように，正確に診断するために精神科の診察を勧めてみたのですが断られてしまいました．理由を尋ねても「受けなくてもいい」の一点張りで．すみません，このことはお伝えしていませんでした．

ウエダ　カナザワさん，診断を受けて精神的な疾患があると分かるのを恐れている可能性はないでしょうか．そうした方に対する偏見を過去に身近に経験されたことがあるのかもしれません．

イシカワ　透析ですでにお母様に心配かけているのに，さらに心配をかけることを恐れているのかもしれません．

オオタ　カナザワさんがちゃんと予約通りに来てくれれば，私たちもわざわざ電話することもないのですが….

アイザワ　少し議論を整理しましょうか．先ほどとりうる選択肢として，本人の希望する時に随時透析を行うということがありました．それから，不定期の受診になることや精神科受診を拒否する背景にある本人の思いを探索するべきだということも話題になりました．そもそもご本人が夕方以降を希望している可能性はありますか？　そうですね，例えば生活リズムが昼夜逆転しているからとか．

エノモト　そうであれば，近くの透析クリニックの中には夕方や夜も含めて3回転ぐらいでやっているところがあるので，そちらへ移っていただければよいのですが，決まって夕方というわけでもないので….

ウエダ　4分割表によると，カナザワさん，いまは働かれていないようですが，ひょっとして，仕事を辞められて自暴自棄になっている可能性もあるのかなって思います．

オオタ　すみません，正直，そこら辺のことは聞けていません….どうしても会話が続かず，険悪な雰囲気になってしまうので….

イシカワ　ちょっと言いにくいのですが，スタッフの方が，カナザワさんにちゃんと透析を受けてもらえるように説得することが，険悪な雰囲気を生んでしまっているのかもしれません．

エノモト　そりゃやはり，患者さんの健康が蝕まれるのをただ見守ることはできませんので．

アイザワ　お気持ちはよく分かります．ただ，私たちが最善と思う選択を選ばない方にも，そのようにしたその人なりの背景や理由があるはずです．まずはその思いに耳を傾けることが，今後，解決策を考えていく上で大切になります．先ほどウエダさんが言ったような仕事の問題があるなら，就労支援についてお話しすることで，ご本人の気持ちも変わるかもしれません．

イシカワ　例えば，カナザワさんと比較的話ができるスタッフの方がいれば，その方にアプローチしていただくのもよいと思います．

オオタ　そうですね，少しスタッフに聞いてみます．

4 原則にもとづく評価②

アイザワ　これまでは患者さんを中心に話を進めてきましたが，それ以外の関係者の方々についても考えていきましょう．まずは，スタッフの方の疲労ですが，この点についてもう少し説明していただいてよいですか．

オオタ　それでは私からよろしいでしょうか．これまでにも出てきましたが，カナザワさんが夕方に来られるため，急遽スタッフに残業をお願いすることもあります．お子さんがいる方には頼むことが難しく，どうしても一部のスタッフに負担が集中してしまいます．実はすでに退職してしまったスタッフもいます…．来院しない時に何回も電話連絡を試みるのも疲弊の原因になっています．

エノモト　スタッフはもちろんですが，スタッフのマンパワーが減少すれば，他の透析患者さんにも影響がありますので，このままというわけにはいきません．

イシカワ　それから，スタッフのみなさんにとっては，実際の負担に加えて，どこまでやれば責任を果たしたことになるのか，という点も気になっているんですよね．

エノモト　その通りです．

アイザワ　患者の要請にどこまで応じる必要があるのかということだと思うんですけど，厚生労働省の通知では，時間外で緊急対応の必要ない状況であれば断っても問題ないとなっています．ただ，時間外で緊急対応必要な場合，今回であれば肺水腫ですかね，その状態で来られた場合には，高次の医療機関に搬送するといった対応が必要になります．

オオタ　でも実際に断ったらいろいろと大変なことが起きそうです．

ウエダ　そういう不安もありますよね．でもとにかく，医学的に緊急でなければ「断っても大丈夫」ということを知っておくことは，スタッフの皆さんの負担感を少しは和らげると思っています．

エノモト　確かにそうですね．少し気持ちが楽になりました．ちなみにクリニックの中には，患者さんが来ない時にご自宅まで迎えに行くところもあるようなのですが，私たちもそうしなければならいでしょうか？

アイザワ　それは大変ですね…．そこまでする必要があるかどうかは透析専門の皆さんの常識にもよりますが，いまの私たちのマンパワーを考えると，少なくとも状態が医学的に落ち着いている患者さんについては，迎えにいく必要はないと思います．ただ，この件に関しては，いまは保留にしておき，私たちの方で，病院の執行部や顧問弁護士と相談しながら現実的な対応を考えてみます．

付録B

5 統　合

アイザワ　それではもうそろそろ，本日の議論をまとめていきましょう．ここで大切なのは，選択肢として適切であり，患者さんの意向にもかなっており，さらには患者さん以外の関係者の方にとっても望ましい選択肢を見つけるということですが…．

エノモト　でもそもそも，カナザワさんの意向が不明確なのですから，そのような選択肢は難しいのではないでしょうか．

イシカワ　そうですね，今回の患者さんについて，患者さん本人にとって最善と思われる選択肢をずばり提示するのは難しいですね．でも，そうした選択肢を見つけるために，何をすればよいのかは明らかになったように思います．

オオタ　ええと，つまりそれは…．

アイザワ　まずは，透析のための定期受診が必要だという私たち医療従事者の思いを一度封印し，カナザワさんのお気持ちを聞く場を設けるということです．普段の生活の状況や仕事への思いなどについて，比較的関係のよいスタッフも交えながら，話を聞いてみていただけるでしょうか．その中で，精神科の受診やお母様の協力に関しても，可能であればぜひ聞いてみてください．夕方の透析が希望であれば，対応可能なクリニックを紹介可能であることを伝えてもよいでしょう．それから，状態が安定しているのであれば，無理に夕方から透析を開始する必要はなさそうですね．

ウエダ　経済的なことなど生活に関する心配事があるようでしたら，社会福祉士のスタッフも同席しますので．

イノウエ　不規則になる原因を取り除けて，きちんと通院してもらえるようになれば，スタッフへの負担も解消されますよね．

エノモト　もし患者さんが透析を中止したいという選択をしたらどうすればよいでしょうか．

アイザワ　そのときには，すぐに回答はせず，私たちに連絡してください．継続を見合わせるとなった場合には，やはり適切なプロセスでの判断が大切になりますので．

エノモト　ありがとうございます．それからもう一つ．どうしても患者さんとの関係が改善されない場合にはどうすればよいでしょうか．

アイザワ　確かに，すべての問題がハッピーエンドになるわけではありません．患者さんとの信頼関係が破綻してしまった場合には，転院をお願いするのもやむをえないでしょう．その場合には，病院執行部や顧問弁護士とも相談が必要になるかもしれませんが，まずは私たちにご相談ください．

オオタ　ありがとうございます．イシカワさんがおっしゃったように，解決に向けて次に何が必要なのかを明らかにできただけで，ずいぶん気持ちが楽になりました．

イシカワ　私たち自身もマンパワーが十分というわけではありませんが，うまくみなさんと連携しながら解決策を探っていきたいと思っています．

アイザワ　それでは本日はありがとうございました．また，今後もよろしくお願いします．

【本事例における4分割表】

医学的適応

（事前に確認されていた情報）

- 40歳男性 / 末期腎臓病
- 1年程前に当時住んでいたH県で透析を開始した．（維持透析中）
- 仕事を辞めて実家に戻った半年前から当院で通院透析をしている．
- 透析自体は問題なく実施できている．
- 透析日に来ないことが多く，中3日空くこともある．
- 前医では，透析間隔があいてしまい，肺水腫を起こして緊急入院になったことが数回ある．
- 臨床心理士の面談では気分障害がありそうとの判断だが，精神科受診は拒否している．

（コンサルテーションにおいて確認された情報）

- 透析を中断すると2週間以内に亡くなる可能性がある．亡くなる前に様々な症状が出現する．

患者の意向

（事前に確認されていた情報）

- 予約時間の通りに来てくれないことが多い．再三注意しても，透析日を守らず，時間外の夕方に来院することもある．
- 臨床心理士の話では，意思決定能力に問題ない．
- 関係づくり自体が難しく本人の意向が分からない．

（コンサルテーションにおいて確認された情報）

- 透析治療に対する本人の希望を聞いたところ，「あんたたちはどうせ俺の話を聞かない」と言われた．
- 呼吸困難になると来院して透析を受ける．透析の中止を希望しているわけではなさそう？
- 気分障害の可能性があるということだったので，精神科受診を勧めたが，拒否された（理由は不明）
- 説得しようとするスタッフの姿勢が，本人の気持ちを聞くことを難しくしている可能性もある．

患者のQOL

（事前に確認されていた情報）

- 公務員を40歳で退職して実家に戻ってきた．現在は無職．
- 透析を予定通り受けていないため，息が苦しくなるといった症状が起きている．
- 定期受診のことで口論になることもある．干渉は本人のQOLを下げるかもしれない．

（コンサルテーションにおいて確認された情報）

- 透析を続けながら透析を続けることも不可能ではないと考えられるので，公務員をやめた理由は別にありそう．
- 仕事をやめて自暴自棄になっている可能性もあるが，こうしたことについて聞き出そうとしてもできない．
- 患者の生活リズムに関しては不明．

周囲の状況

（事前に確認されていた情報）

- 透析を始めた時は，仕事をしていたH県に在住し（公務員），近隣の個人病院で透析を受けていた．仕事をやめて実家に戻ってきたのを機に，当院に来るようになった．現在仕事はしていない．
- 母親と実家で二人暮らし．医療チームとしては，母親の協力のもと，定期検診を受けるようにしてもらいたい．
- 責任を問われる可能性もあるので，不定期・時間外の透析にも対応しているが，スタッフの疲弊は無視できないレベルになっている．

（コンサルテーションにおいて確認された情報）

- 母親はパートの仕事を週3日しており，自立した生活をしている．
- 母親への接触は本人が拒絶しそう．
- 医療側としては，診療拒否ができないのかと思うこともある．
- 厚生労働省の通知によれば，時間外で緊急の対応が必要ないのであれば断っても問題ない．しかし，緊急対応が必要な場合には対応可能な医療機関に搬送する必要がある．
- 現時点では透析医学会の提言の対象ではない．

【様式第1号】

倫理コンサルテーション依頼書

倫理コンサルテーション・チーム責任者 殿

依頼日　2023 年　○○ 月　×× 日

依頼者

所　属　　腎臓内科

氏　名　　エノモト　タケシ

今般，下記の事案について，倫理コンサルテーションを依頼します．

記

患者の氏名	カナザワ　ケンゴ	カルテ番号	
依頼理由	□ コンサルテーションへの依頼が院内指針において定められている． 指針名：		
	☑ 具体的に困っていることがある． 概要：半年前から当院で維持透析をしている男性患者（40歳）．1年ほど前から大学病院にて透析を導入，その後個人病院で維持透析を受けていたが，転居を機に当院を受診．しかし予約時間に来院しないことがよくあり，透析の間隔が3日空くこともある．透析を受けないリスクを繰り返し説明しても，コミュニケーションが難しい．以前の病院は，透析の期間が空いて肺水腫になり大学病院に搬送されたことも数回ある．今後どうすればよいのか相談させてほしい．		
緊急度	□ 緊急の対応が必要 ☑ 待つことは可能		

以上

提出先：事務部○○課

【様式第 2 号】

申請日　2023 年　〇〇 月　ＸＸ 日

依頼者
エノモト　タケシ　殿

倫理コンサルテーション・チーム

責任者　アイザワ　シンヤ

付録B

倫理コンサルテーション結果通知書

先般依頼のありました倫理コンサルテーションの依頼について，下記のとおり通知します．

記

患者名	カナザワ　ケンゴ	カルテ番号	
事例の概要	半年前に転居し，当院で通院透析中の40歳男性．スタッフから再三注意しても，来院日，来院時間を順守しない． 過去に透析が中断され肺水腫を生じたこともあるため，時間外透析を実施せざるを得ず，時間外労働を強いられたスタッフの疲弊に繋がっている．		
依頼内容	上記のような患者にどのように対応したらよいのか？		

コンサルテーション・ミーティング（☑ 開催した　☐ 開催しなかった）

日時	20XX 年 XX 月 XX 日	場所	
出席者	依頼者：エノモト，オオタ 倫理コンサルテーションチーム：アイザワ，イシカワ，ウエダ		
議事概要	話し合いの結果，大まかな方針としては以下の合意に至った． ①定期受診しない事情について，カナザワさんと関係のよいスタッフも交えて，本人の思いを傾聴する． ②医学的に安定していれば，予定外の透析は実施しない． ③今後本人が透析の見合わせを希望する場合や，信頼関係が破綻した場合などには再度倫理コンサルテーションに連絡をする．		

コンサルテーション結果

依頼案件における倫理的問題	・患者の真の意向や受診が不規則となる背景が不明である（自律尊重原則） ・不規則な受診に対応して透析を実施するため，スタッフの時間外労働が続いている（無危害・善行原則と正義原則の対立）
協議の結果とその理由	患者は一定の意思決定能力はあり，透析の必要性や中止した場合の転帰について十分に理解している．しかし，受診が不規則となる原因は不明である．そこで，患者とうまく会話できるスタッフ若干名を選定し，以下のアプローチを試みることとなった． ①先ずは共感的態度で，今までの生活について聴取しながら，「時間を守らない，スタッフの忠告に耳を貸さない」などの背景に何が潜んでいるのかを明確にする． ②その上で，「私たちは，あなたがより良い生活を送れるように，援助したいと思っている」という態度のもとに，「今の状況をどう思っているのか？今後どうしたいと考えているのか？」などを聞き取る． ③可能であれば，精神科受診や母親から協力を得ることについても本人の思いを傾聴する． ④夕方以降の透析の希望について確認し，もし希望される場合は，対応可能な施設を紹介する． 　予定外の受診時に医学的に安定しているのであれば，スタッフの負担を考慮して，透析を実施しないことを基本方針とすることで合意した．もし，肺水腫を来たした場合は，高次医療機関に搬送する． 　患者が透析の見合わせを希望する場合や，患者との信頼関係が破綻した場合などには，再度，倫理コンサルテーションを依頼していただくこととなった．

以上

memo

おわりに

本書の初版は 2019 年に出版されました．当時は類書がなかったこともあり，多くの方に手に取っていただきました．学会などで，「こういった本を待っていた」「とても分かりやすくまとまっていた」と声をかけていただくことは，私たちにとって大きな喜びでした．

しかし，それ以上に大きな喜びであり，驚きであったのは，この間に「臨床倫理」や「倫理コンサルテーション」をめぐる取り組みが活発になったことです．「臨床倫理」や「倫理コンサルテーション」をテーマとする日本語の書籍が立て続けに出版されるとともに，日本臨床倫理学会のような組織による取り組みも活性化し，倫理コンサルテーションの広がりに向けた土壌ができつつあるように思われます．本書の改訂にあたっても，こうした新たな動きを反映させました．

とはいえ，比較的手を付けられずにいる領域もあります．その一つが，病院外での倫理コンサルテーション（院外倫理コンサルテーション）です．本書も初版において院外倫理コンサルテーションに言及したものの，詳細を述べることはほとんどできませんでした．そのため私たちは，初版出版直後から，在宅医療・ケアにおける倫理的課題の調査を行い，その結果，在宅の現場でも医療・ケア従事者がさまざまな困難に直面していること，また，倫理コンサルテーションのような第三者による支援を求めていることが明らかになりました．今回全面的に改訂された第 6 章は，こうした研究成果と，本書の執筆メンバーが実施してきた地域における医療・ケア従事者との対話にもとづいています．

さらに，関心はあるものの，具体的にイメージできない方や，「倫理」という言葉に敷居の高さを感じている方に，倫理コンサルテーションの現場を可能な限り具体的にイメージしてもらい，よい意味でハードルを下げてもらう必要もあります．そのため今回の改訂版では，巻末に仮想倫理コンサルテーションを収録することにしました．

この他，改訂にあたっては，最新の研究成果を反映させるとともに，私たちが本書の姉妹書として出版した『倫理コンサルテーション ケースブック』を併せてご活用いただけるように，必要に応じて脚注を付けました．本書『ハンドブック』および『ケースブック』の二冊──私たちは「青本」「赤本」と呼んでいます──が，倫理コンサルテーションを導入・運営し，具体的なケースを扱いながら改善していくという好循環を生み出すことに少しでも役立つことを願っています．

今回の改訂にあたっても，医歯薬出版編集部の岩永勇二さんに大変お世話になりました．遅れがちな原稿を辛抱強く待っていただくとともに，私たちのアイデアを最大限反映していただきました．心よりお礼申し上げます．

2024 年 8 月

堂囿俊彦
竹下　啓

索　引 Index

あ

アドバンス・ディレクティブ（→事前指示）　49
アドバンス・ケア・プランニング　76, 121
アメリカ生命倫理人文学会　24, 37

い

『医学教育モデル・コア・カリキュラム』　24
医学的情報　48
医師　22, 40
　——の法的責任　13, 14
医師会　90, 115
意思決定支援　121
意思決定能力　7, 45, 49, 57, 150, 157
一般的ではない医療　103
遺伝子診断　119
依頼
　匿名の——　44
　——の受付時間　43
　——の振り分け　45
　——方法　43
　緊急の——　19, 43, 49
依頼者　43
　——の満足度　70-71
医療・ケアの決定権　31
医療・ケアの不開始・中止　4, 36, 47, 75, 81, 109, 110
医療・ケアの方向づけ
　実質的な——　74
　プロセス的な——　75
医療資源の公平な配分　4, 57
医療事故　32, 70
医療メディエーション　6
医療倫理　5, 22, 25, 82
院内指針　27, 29, 31, 38, 46, 50, 66, 74
　——作成のためのワーキンググループ　77
　——の作成ステップ　77-79
　——の評価　79
院内暴力　45, 152
インフォームド・コンセント　3, 57, 77, 78, 81

え

エホバの証人事件　58, 101
延命治療・措置　18, 111

お

応招義務　113
オンデマンド学習　82

か

介護施設　87-88
ガイドライン　12, 15, 29, 50
　学会の——　86
　行政の——　86
家族等　51, 57, 104, 107
価値（観）　18, 42
　医療・ケア従事者の——　50, 61
　患者の——　49, 57
カルテ　34, 43, 61
川崎協同病院事件　110
看護協会　6, 90, 130
看護師　21, 22, 40
　専門——　6, 22, 80, 82
　認定——　22, 82
患者安全（医療安全）部門　29, 33, 36, 79, 81
患者からの苦情　22, 33, 45, 64
患者相談部門　32, 33, 36, 43, 45
患者の意向　49, 52, 56-57, 156, 161
　推定上の——　4, 49, 57, 110
患者の関係者　51
感受性　60, 73
寛容な心　28
緩和ケア　76, 118

き

キーパーソン　111
危害　3, 8, 26, 56, 75, 149
帰結主義　59
毅然とした態度　29
義務論　59
九州山口臨床倫理 A to Z　84
協議　45-46

共同意思決定（Shared Decision Making：SDM） 103, 116
京都大学応用哲学・倫理学教育研究センター 84

け

傾聴 29
決疑論 59
権威主義的アプローチ 41, 97
研究倫理委員会 14, 32, 36, 90
謙虚な姿勢 29
原則にもとづく評価 56-58, 156-158
――の統合 58, 159-160

こ

コアカリキュラム 24
合意追求型アプローチ 42
公平 4
功利主義 59
個人情報 24, 53, 81, 94-95
――に関する院内掲示 95
――の取り扱いに関する誓約書 95, 148
個人情報保護法 8, 94-95
コミュニケーション 21, 23
言語的―― 95
非言語的―― 95
顧問弁護士 22, 45, 131, 159
コンサルテーション・ミーティング 29, 48, 153
――開催の判断 53
――の開催方式 53-54
――の司会 54
――の進め方 54
コンサルテーションチーム 16, 31, 38
――の責任者 45
――のメンバー 22, 136
コンサルテーションモデル
――への振り分け 46
委員会―― 20-21, 24, 36, 46
個人―― 19-20, 46
チーム―― 22-23, 36, 46

し

自己決定権 25, 101, 108
自主退院 76
事前指示 8, 49, 57, 76, 81
実験段階の医療 47
社会において受け入れられている倫理的・法的基準 42, 59, 71, 76, 79
宗教的信念にもとづく治療への不同意 36, 58, 76, 81, 101, 118
終末期 14, 18, 104, 107, 109, 110, 111, 116, 117, 119
守秘義務 8, 24, 38, 81
小児 12, 47, 119
情報収集 48-50, 154
情報の共有 9
省令 15
自律尊重原則 3, 26, 56, 103
人格権 101, 111
新型コロナウイルス感染症 121
人工呼吸器の取り外し 5, 13
人工的水分・栄養補給 72, 76, 120
人工透析 15, 47, 116
人工妊娠中絶 8, 114
真摯な対応 29
人生の最終段階 72, 75
人生の最終段階における医療・ケアの決定プロセスに関するガイドライン（終末期医療の決定プロセスに関するガイドライン） 10, 12, 16, 47, 51, 74, 110, 111, 116
身体拘束 77, 112, 120
身体的拘束最小化のための指針 78, 149-152
診療拒否 113

せ

正義原則 4, 57, 164
精神的苦痛 3, 102, 104, 108
生命・医療倫理の 4 原則 4-5, 26, 55
生命維持治療の中止 31, 47, 50, 110
政令 15
積極的安楽死 29, 59, 75, 109, 110
説明義務 58, 101-106
善管注意義務 16

善行原則　3, 26, 33, 56, 156
専属の事務スタッフ　21, 31, 43
専門医共通講習　82

そ

尊厳　24, 120, 149
——死　110, 117

た

退院支援室・退院調整部門　43, 89
代諾者　26, 49, 51, 117, 150
対話　6, 9, 42, 59, 103
多職種カンファレンス　13, 49, 54
多職種連携　13, 27, 90
短期集中教育プログラム　83-84

ち

地域ケア会議　91-93
地域包括ケアシステム　87, 91
地域包括支援センター　91
地域連携室　89
チーム医療　27
中央臨床倫理部　33
治療義務の限界　110
鎮静　76, 109, 118, 149

て

DNAR　12, 77, 81, 117
顛末報告義務　106

と

東海大学大学院医学研究科 がん患者の倫理・社会的問題に対する支援者養成コース　85
東海大学病院事件　109
東京大学死生学・応用倫理講座 臨床倫理プロジェクト　84
透析の開始と継続に関する意思決定プロセスについての提言　47, 116
道徳　2
特別養護老人ホーム　87
徳倫理　60
ドメスティック・バイオレンス　114

に

日本医療機能評価機構　10-11, 30, 81
日本看護倫理学会　99, 120, 130
日本生命倫理学会　99
日本臨床倫理学会　68, 84, 99
——上級臨床倫理認定士　84, 94
——臨床倫理コンサルテーション相談事業　94
——臨床倫理登録病院・地域制度　89
——臨床倫理認定士（臨床倫理アドバイザー）　84
認知症ケア　121
認定看護管理者　82

は

配偶者の同意　114
ハイブリッド・モデル　23, 38
配慮義務　108
ハラスメント　45, 100
判例　15, 17, 50, 59, 60, 131

ひ

病院
——の執行部　31, 159
——の責任者　30, 35, 77, 78
——の組織図　68
——の理念・基本方針　89
病院倫理委員会　14
病院・臨床倫理委員会コンソーシアム　94, 99
評価
——の視点　68
——の方法　68
アウトカムの——　70
構造の——　68
プロセスの——　69
病名の告知　26, 53, 107, 108

ふ

フィードバック・シート　71, 147
プライバシー　24
文献資料　34

ほ

法　15-16
　——テラス　100
訪問診療　87
法律　8, 14, 15
　——相談　100
暴力　100
法令　24, 29
POLST　117

み

未確立な医療　102
未成年の患者による治療拒否　47
宮崎大学大学院医学獣医学総合研究科修士課程
　「生命倫理コーディネーターコース」　85

む

無益　7, 18
無危害原則　3, 26, 56, 156

も

模範的事例　60

ゆ

有害　7
友人　51

よ

予防的療法　105
4 分割表　52, 60, 124, 154, 161

り

利益　3, 75
利益衡量　16
リビング・ウィル　4
臨床倫理委員会　14, 31, 32, 36, 75, 80
　——運営規程　133-135
　——で扱うことが適切な問題　47
　——のメンバー　21, 133
臨床倫理ネットワーク日本　99
倫理　2
倫理委員会　14
倫理学　2
倫理カフェ　30, 38
倫理カンファレンス　5, 89
倫理教育　27, 80-85
倫理研修　90, 81-82
倫理コンサルタント
　——が関与することへの反対　53
　——に必要な対人関係スキル　27
　——に必要な態度や姿勢　28-29, 60
　——に必要な知識　24-25
　——に必要な中心的能力（Core
　　Competencies）　23
　——に必要なプロセス的スキル　27-28
　——に必要な倫理的スキル　25-26
　——のプール　22, 33
　兼任——　33, 43, 68
　専任——　33, 68
倫理コンサルテーション　4-6
　——依頼書　43-44, 139, 162
　——運営規程　37-38, 68, 136-138
　——結果通知書　60, 140, 163
　——実施記録　66-67, 69, 142
　——導入のためのコーディネーター　35
　——導入のためのワーキンググループ　37
　——の導入ステップ　34
　——の導入モデル　31
　——反対論　30-31
　——の設置主体　88
　アメリカにおける——　13
　院外——　87
　仮想——　37, 153-160
　ケース——　5
　ケース外——　5
　研究——　15
　日本における——　10-11
　任意団体による——　93
　ビデオ通話システムを用いた——　96-97
　文書による——　97-98
倫理調整　6, 80
倫理的検討　55-58, 156-160
倫理的対話促進アプローチ　42, 59
倫理的問題　40, 7-8
倫理ラウンド　38
老人保健施設　87

倫理コンサルテーション
ハンドブック　第2版　　ISBN978-4-263-73231-1

2019年3月25日　第1版第1刷発行
2022年3月25日　第1版第3刷発行
2024年8月20日　第2版第1刷発行

編著者　堂囿俊彦
　　　　竹下　啓
発行者　白石泰夫

発行所　医歯薬出版株式会社

〒113-8612　東京都文京区本駒込1-7-10
TEL.（03）5395-7640（編集）・7616（販売）
FAX.（03）5395-7624（編集）・8563（販売）
https://www.ishiyaku.co.jp/
郵便振替番号　00190-5-13816

乱丁，落丁の際はお取り替えいたします　　印刷・教文堂／製本・明光社

memo

memo

memo